CRITIQUE DE LA RAISON SÉMIOTIQUE

DU MÊME AUTEUR

Le Roman populaire, recherches en paralittérature (Montréal, 1975).

Les Champions des femmes : examen du discours sur la supériorité des dames, 1400-1800 (Montréal, 1977).

Glossaire pratique de la critique contemporaine (Montréal, 1979).

La Parole pamphlétaire : contribution à la typologie des discours modernes (Paris, 1982).

Ce que l'on dit des Juifs en 1889 : antisémitisme et discours social (Montréal, 1984).

Le Cru et le Faisandé : sexe, discours social et littérature à la Belle époque (Paris-Bruxelles, sous presse).

MARC ANGENOT

CRITIQUE DE LA RAISON SÉMIOTIQUE

Fragment avec pin up

1985
LES PRESSES DE L'UNIVERSITÉ DE MONTRÉAL
C.P. 6128, SUCC. « A », MONTRÉAL (QUÉBEC)
CANADA   H3C 3J7

Cet ouvrage a été publié grâce à une subvention de la
Fédération canadienne des études humaines, dont les fonds
proviennent du Conseil de recherches en sciences humaines du Canada.

Une subvention d'incitation à la nouvelle technologie
a également été accordée par le même organisme.

Couverture : détail d'une photographie reproduite
dans le Journal de Montréal, 6 février 1978.

ISBN 2-7606-0700-3
DÉPÔT LÉGAL, 2ᵉ TRIMESTRE 1985
BIBLIOTHÈQUE NATIONALE DU QUÉBEC

Pour Olivier, Valérie et Maya

Le présent ouvrage est issu de mon enseignement dans des séminaires de deuxième cycle à l'Université McGill en 1978-1979 et dans les années ultérieures. Je remercie mes étudiants et étudiantes qui, au cours des discussions que nous avons eues, m'ont permis de développer et de préciser mes réflexions. Mes remerciements vont également à mes collègues Régine Robin et Darko Suvin qui ont lu et commenté attentivement le manuscrit. Je remercie aussi vivement Luis Prieto qui a discuté avec moi de certains chapitres de ce livre. Selon la formule consacrée, ils n'ont aucune responsabilité dans les erreurs et omissions possibles de la version finale.

Quel est donc le nom de l'ouragan qui est passé sur... cette plage.

Journal de Montréal, 6 février 1978.

« Aucune statue grecque dans sa nudité
n'était une pin up »

(Th. Adorno, *Théorie esthétique*, p. 26)

INTRODUCTION

OBJECTIF

Je vais procéder dans ce petit livre à une
critique des démarches théoriques des sémiotiques contemporaines, en me concentrant sur les chercheurs, de langues française et
italienne, d'inspiration structuraliste-fonctionnaliste. J'axerai la
discussion sur la *sémiotique des simulacres fixes*, photo, dessin,
peinture, sculpture.

Il y a au choix de ce secteur un motif préjudiciel évident : c'est là qu'on « attendait » la sémiotique ; c'était le
domaine où les discours traditionnels de l'historien de l'art (pour
la peinture et la sculpture) étaient les plus approximatifs et idiosyncratiques ; quant à la photographie et au cinéma, ils venaient à
peine d'émerger de leur position d'art mineur et de sous-culture :
leur promotion au rang d'objets d'étude savante a correspondu à
la prétention de créer une discipline universitaire susceptible d'en
rendre raison au moyen de procédures « scientifiquement » validées. Au contraire, la sémiotique littéraire ne venait qu'ajouter
ses approches et ses modèles à l'immense tradition qui, d'Aristote
aux formalistes russes, scrute les belles-lettres et cherche à en
connaître les règles.

Je ne m'attacherai, pour illustrer mes réflexions et mes objections, qu'à un seul objet : *une photo de pin up,* qui est reproduite sur la page précédente. On est prié de bien regarder ce *corpus*. D'essayer de voir par quel bout le prendre. De se demander quelles questions candides cette pin up pose à la sémiotique, puisque depuis plus de quinze ans, une extraordinaire cacophonie théorique tient lieu de « sémiologie des icônes »[1]. Quant à la question de la communication artistique, nous la poserons aussi à propos de cette photo de pin up, même si celle-ci fait appel à une esthétique peu « distinguée ».

Dans la francophonie et dans les pays de langues romanes, la sémiologie a cherché d'abord à se développer par référence à la pensée de Ferdinand de Saussure et à la filiation théorique de celui-ci, tant dans la glossématique danoise que dans l'École de Prague, sans parler de la transposition de concepts saussuriens aux études littéraires accomplie dès avant la guerre par Jakobson, Mukařovsky et d'autres. Eric Buyssens, linguiste saussurien bruxellois, avait le premier, dans les années quarante, cherché à reprendre (ou plutôt à entreprendre) le projet sémiologique de Saussure articulé à la linguistique générale. Il est vrai cependant aussi que le cadre épistémologique de Saussure avait été critiqué et remis radicalement en question dès les années vingt. C'est en 1929 que Mikhaïl Bakhtine et V.N. Volochinov ont publié sous le nom de ce dernier et sous le titre de *Marxisme et philosophie du langage (Marksizm i filosofija jazyka)* une réfutation critique de l'« objectivisme abstrait » identifié à la philosophie linguistique de Ferdinand de Saussure et de sa descendance[2]. Leur livre n'aurait guère pu être lu alors en Europe occidentale : le fonctionnalisme structuraliste n'y avait pas encore acquis la place qui eût justifié une réfutation en règle et un marxisme critique n'aurait pu s'y faire entendre faute de conditions d'intelligibilité. Lorsque trente ans plus tard, le mouvement structuraliste d'Europe occidentale transforma en dogme des lettres et des sciences

---

1. Dans les textes publiés en français, on trouve les orthographes suivantes : « icône », « icône » et même « ikone », *Semiotica*, 29, 1980, 193-208 ! Seule la première est canonique. Aucun des mots dérivés n'est censé prendre l'accent circonflexe.

2. Voir mon étude « Bakhtine, sa critique de Saussure et la recherche contemporaine », *Études françaises*, 20/1, 1984, pp. 7-20.

sociales le pseudo-Saussure du *Cours de linguistique générale*, le texte de Bakhtine serait arrivé bien à propos, mais il ne devait être traduit en français qu'en 1977. À cette date, certaines des objections formulées par Bakhtine avaient été retrouvées spontanément par quelques chercheurs (H. Lefebvre, Pierre Bourdieu), mais, d'autre part, la linguistique et plus encore les sémiologies semblaient s'être installées à demeure dans la forclusion de l'histoire et de l'idéologie. Si donc Bakhtine est enfin traduit en français, le moment semble toujours peu propice à ce qu'un matérialisme critique soit vraiment pris en considération. S'il l'était on pourrait espérer de la part des sémiologues une mise en question de leur fétichisme et de leurs forclusions. L'atmosphère intellectuelle au contraire les invite à s'installer dans le confort et le syncrétisme.

L'OBÉDIENCE SAUSSURIENNE

Il ne sera question ici que des travaux sémiologiques appartenant à la « mouvance italo-francophone ». Cette délimitation ne satisfait pas tout à fait : elle désigne une sorte d'hégémonie doctrinale et correspond à une configuration d'échange d'idées et de débats autour d'un axe Paris-Genève-Bologne-Urbino avec des antennes vers Bruxelles, Liège, Montréal. Des frontières épistémologiques mal reconnues isolent cet espace d'autres espaces, l'anglo-saxon, l'allemand, le soviétique. Cette « géographie » scientifique n'est qu'une simplification à quoi il faudrait patiemment substituer une enquête sur les réseaux de communication, qui mettrait une partie des Polonais en communication avec Oxford et l'empirisme logique, établirait des convergences Chomsky/Peirce aux Pays-Bas, des points d'implantation d'Eco aux États-Unis, des zones d'influence de la sémiotique soviétique (dues ici et là à la présence d'un chercheur russe en exil). Il y a dix ans, le critère eût été plus facile à formuler : il y avait en Francophonie *une* sémiologie s'inscrivant dans une référence (parfois assez mythique) à Saussure, un Saussure qui, – mauvais prophète en son pays, – avait migré à Petersbourg, à Moscou, à Copenhague, à Prague, puis à New York et qui, après de longues pérégrinations, revenait en pays francophones sur les épaules du Russe Jakobson, de l'Italien Eco, de l'Argentin Prieto, du Lithuanien Greimas et de quelques autochtones, – anthropologues ou critiques littéraires au demeurant[3].

Aujourd'hui, il n'est plus possible d'identifier la sémiologie française et italienne à une filiation « purement » saussurienne ; assez tardivement, toute sortes d'autres traditions, à commencer par celle qui va de Peirce à Morris et au-delà, ont été prises en considération. Il suffit pourtant de prendre en main n'importe quel numéro de *Semiotica*, de *VS*, du *Zeitschrift für Semiotik*, etc., pour constater que ces zones épistémiques aux frontières floues (qui ne correspondent que partiellement à des frontières linguistiques) sont toujours là : un essai émanant d'un chercheur américain se pose fréquemment des questions en des termes qui n'ont ni contrepartie ni équivalent dans la « zone » dont nous venons de parler.

Cet état de fait pourrait cesser un jour d'être perçu dans la mesure où, dans cette mouvance italofrancophone même, le consensus minimal semble en voie de se dissoudre. L'Association internationale de sémiotique peut se réjouir du dynamisme de ses membres et chercher à faire preuve de « bonne entente » académique, mais il lui faut reconnaître qu'elle n'associe que des chercheurs, souvent prestigieux et intéressants, mais dépourvus de principes et de visées communs. (Reste à savoir s'ils sont plus dépourvus d'un tel minimum que ne le sont les sociologues ou les économistes aujourd'hui, à l'échelle mondiale.)

UNE CRISE INTERMINABLE

Il y a donc quelque chose qui ne va pas en sémiologie/sémiotique (mais peut-être la crise n'est-elle que plus sensible que dans les autres secteurs des sciences humaines) : on

---

3. Je renvoie ici à mon essai « le Saussure des littéraires : avatars institutionnels et effets de mode », *Études littéraires*, 20/2, 1984, pp. 49-68.

assiste à la fois à une implantation institutionnelle de plus en plus assurée de la « discipline » (à la création de doctorats en sémiotique par exemple), concomitante à une perte de consensus, à une migration centrifuge incontrôlée des méthodes et des concepts, à l'impossibilité pour deux sémioticiens « pris au hasard » de s'entendre sur quoi que ce soit. Je n'ai pas dit que ce soit une très mauvaise chose, mais en serait-ce même une bonne qu'il ne faudrait pas moins chercher à en rendre raison. Le logicien d'un côté, le linguiste de l'autre jettent sur le sémioticien un regard de commisération ; le sémio-logicien et le sémio-linguiste s'attachent, eux, à ne pas perdre de vue leur base logistique. Le malentendu est si diffus, il semble porter sur tant de concepts à la fois, les programmes sont si divergents qu'il semble qu'il faille désespérer. À moins que ces conflits, qui font que la sémiotique n'est pas une science mais une querelle de famille, ne signalent en fait qu'à travers ses discours, ses modèles et ses mésententes, passe l'*essentiel* d'un débat, *un* des grands enjeux qui sont au centre des sciences de l'homme en cette fin du XXᵉ siècle. À ce compte, ce n'est pas tant un consensus qu'il faudrait chercher que de la critique, une critique aussi globale que possible des axiomes invalides et des malentendus qu'on peut rencontrer.

THÈSES

Dans le présent ouvrage, je vais développer les thèses suivantes :

1. Qu'il n'existe aujourd'hui, en lieu et place d'un consensus en sémiotique, qu'une extraordinaire cacophonie, – spécialement dans ce secteur qui apparaissait comme un des plus prometteurs et des plus intéressants : celui des images, de la photographie, du cinéma, – des « icônes » comme disent encore la plupart des sémioticiens.

2. Que cette absence de consensus est d'autant plus curieuse que tous les écrits que nous examinerons partent de la même base : la transposition à l'« icône » de la théorie linguistique fonctionnelle du signe et l'idée de sens commun

que les icônes constituent un objet spécifique qui signifie en *ressemblant*.

3. Que c'est cette base de départ même qui est inadéquate et qu'elle explique la cacophonie doctrinale dont il est fait état au point 1.

4. Que malgré son caractère relativement opératoire, il y a déjà une part de scotomisations et d'omissions dans la théorie du signe appliquée aux langues naturelles et aux systèmes artificiels de signaux arbitraires.

5. Que ces scotomisations et ces omissions, une fois transposées au domaine des images, des « simulacres » fixes et mobiles, ont pour effet de bloquer la réflexion ou plutôt de l'engager dans une impasse.

6. Que pourtant on peut refaire le parcours critique qui fut, par exemple, celui de Saussure dans sa linguistique générale, mais que ce sera pour faire paraître que le problème d'une sémiotique de l'image doit se poser de façon *radicalement étrangère* à la théorie linguistique.

7. Qu'il est possible d'esquisser le cadre général de cette théorie radicalement étrangère, plus pour montrer à quel point elle doit différer des théories critiquées en 1º que pour établir ici une méthode pleinement opératoire.

8. Que la théorie dont nous proposons les prolégomènes fait réapparaître ce que tous les théoriciens critiqués nient ou négligent : la primauté d'une gnoséologie sociale fondée sur la pratique.

9. Que le *Trattato di semiotica generale* d'Umberto Eco, – quoique soucieux d'historicité et de socialité, – n'échappe pas réellement aux reproches schématisés ici.

10. Qu'au bout du compte, il faut conclure qu'il n'est rien qu'on puisse sans imposture instituer comme « sémiologie iconique » car cette discipline serait dépourvue d'objet propre.

Au chapitre I, je développerai le constat impliqué dans les thèses 1 et 2. Au chapitre II, je reprendrai la théorie fonctionnaliste du signe, pour poser les thèses 3 et 4. Au chapitre III, je montrerai qu'il faut distinguer radicalement simulacre et signification, ce qui me permettra dans les chapitres suivants, IV et V, de développer ma contreproposition théorique et de montrer l'écart qu'elle entretient avec les théories d'inspiration linguistique.

Je négligerai délibérément les contributions extra-sémiotiques à l'analyse de l'image esthétique (E. Panofsky, E. Gombrich, G. Dorfles, S.K. Langer) ou posant à la sémiotique (de l'extérieur) des objections et des exigences (p. ex. J.-F. Lyotard, *la Peinture comme dispositif libidinal. = Docts. de travail*, 23, 1973). Mon but – je le répète – est de critiquer les bases théoriques des seules sémiotiques de l'image produites en français et en italien dans la mouvance du structuralisme saussurien. Cela constitue un ensemble délimité et suffisamment vaste. Sans le moindre doute, on pourrait dire des tas de choses sur les travaux de philosophes, d'esthéticiens, de sociologues qui eux aussi, selon leurs traditions propres, analysent des images (artistiques, documentaires, publicitaires, etc.) en ne se référant aucunement à des modèles dits « sémiotiques ». Ces travaux n'entrent pas dans mon cadre de discussion. De même, je ne m'occupe de la tradition qui vient de Peirce et de Morris que dans la mesure où, chez certains chercheurs, elle a été partiellement absorbée et syncrétisée avec des notions saussuro-structuralistes[4].

---

4. Le présent travail commencé en 1980 a été terminé en mai 1982. Les travaux auxquels je me réfère ne dépassent pas 1980. Il ne m'a pas paru indispensable de prolonger l'enquête ou de la mettre à jour.

I

État présent des théories sur la sémiotique des images

LE DOMAINE DES SIMULACRES FIXES

Avant de présenter une contre-proposition, je voudrais dresser un tableau un peu impressionniste, et incomplet, des innombrables points de conflit théorique en prenant pour objet le domaine des images : les études de la photographie, de la peinture, du dessin, en gros des simulacres fixes.

Il y a au moins une bonne raison pour partir de là : c'est dans ce domaine que le consensus est le plus faible et c'est à partir de ce domaine qu'on pourra montrer qu'ailleurs aussi en sémiotique le consensus n'est qu'apparent.

EXTENSION VARIABLE DE LA SÉMIOTIQUE[1]

On disait il y a vingt ans d'ici, que le grand débat à venir serait de savoir quelle extension donner à l'activité

---

1. Faut-il dire « sémiotique » ou « sémiologie » ? Les doctes en ont débattu : voir Christian Metz, *1977*, 28-29 et Coquet, *1982*, chap. 1. Si je faisais ici de la sociolo-

sémiotique, quel programme lui fixer. En Europe continentale, le culte du pseudo-Saussure était tel qu'on scrutait alors pieusement les quelques propos sur la « sémiologie » transcrits dans le *Cours de linguistique générale*. Hélas, l'oracle avait été contradictoire (et qui disait alors qu'il ne faisait souvent que reprendre en passant quelques suggestions de Condillac dans sa *Grammaire* et son *Art de penser*?) Saussure assignait à la sémiologie « l'ensemble des systèmes fondés sur l'arbitraire du signe » (l'« arbitraire » du signe, c'est du Condillac), mais sur la même page, il y faisait entrer « les rites symboliques, les formes de politesse, les signaux militaires... » Depuis vingt ans, bien du temps a passé, mais le débat n'a fait que se poursuivre sans progresser. Georges Mounin et Luis Prieto donnaient pour objet primordial à la sémiologie « les systèmes de communication ». Mounin était le plus ferme dans son rejet d'une *autre* sémiologie, celle de la « signification » dont il nie la possibilité même d'existence autonome (*1970*, 7). Toutefois, lorsqu'on lui demande de définir rigoureusement la communication, je crains qu'il se dérobe ou, s'il répond c'est, comme A. Martinet, par une pétition de principe, en disant que c'est « la fonction essentielle d'une langue » (Martinet, *1970*, 9).

L. Prieto ne nie pas, quant à lui, l'existence virtuelle d'une « sémiologie de la signification », il doute de la possibilité de la développer dans l'état actuel. D'autre part, il ne sait trop exactement quoi y mettre, les « cérémonies » dit-il une fois (*1975*a, 115), « tous nos comportements en société », ou « les indices conventionnels qui ne sont pas des signaux » (d°, 130) – en tout cas il n'y inclut jamais expressément le vaste domaine de l'image dont nous allons nous efforcer de partir. D'autres proposeront d'autres limites à l'activité sémiotique : les seuls systèmes à code (c'est-à-dire à ensemble *fini* d'unités et de règles de combinaison), les seuls systèmes à double articulation (formants/

gie du champ universitaire, je n'aurais garde d'omettre l'examen de cet enjeu. Mais au niveau de critique où je me place, je préfère ne pas entrer dans les débats qui sont toujours demeurés fort confus et arbitraires. Je choisis « sémiotique » pour mon compte parce que aujourd'hui c'est le terme dominant et, pour le reste, je m'alignerai sur les préférences des chercheurs passés en revue.

morphèmes). Le but reste toujours (plus ou moins avoué) de rester dans la mouvance du modèle linguistique, et, en Europe, dans *une* filiation théorique qui de Saussure bifurque à Brondal, Hjelmslev *et à* Troubetzkoy → Jakobson → Cercle de Prague → Buyssens, Martinet ...

        D'autres enfin affirment d'emblée qu'il est au moins possible de concevoir une sémiotique beaucoup plus large, comme fait Pierre Guiraud dans sa monographie de « Que sais-je » (1971) ; englobant les arts plastiques, l'iconologie, la musique ; les « protocoles, rites, modes, jeux » ; les « codes épistémologiques » (taxinomiques, algorithmiques, diacritiques) ; les codes « auxiliaires » (kinésiques), para-linguistiques ; les programmes enfin (ensembles ordonnés d'opération)...[2] On sait qu'en sciences humaines, ce qu'il est possible de concevoir est rapidement considéré comme étant conçu. En effet on vit se développer, dans un désordre épistémique dont on n'est jamais revenu, une sémiotique musicale (É. Benveniste avait dès longtemps parlé de la musique comme d'« une langue qui a une syntaxe mais pas de sémantique ») et surtout des sémiotiques « textuelles », « littéraires », « narratives », « religieuses », « poétiques », c'est-à-dire des sous-ensembles flous dont la spécificité n'est *jamais* démontrée. Un certain esprit de bonne-entente académique semble avoir présidé à une atmosphère de tolérance résignée devant la tour de Babel méthodologique qui continuait de s'édifier. Dénonçant le « positivisme dominant le discours sur la signification » (*Tel Quel*, n° 27), Julia Kristeva va, dans *Sêmeiôtikê* (1966), proposer pour la sémiotique l'extension maximale, celle d'une science des sciences génético-historique, une sorte d'hégélianisme remis sur ses pieds, – puis elle abandonnera rapidement cette voie de recherche et bifurquera vers d'autres sentiers d'esthétique et de psychanalyse. Alors que vers la fin des années soixante, le mot « langage » sert à parler de tout et de

2. Mais, avait aussi dit Guiraud, *1971*, « on peut très bien arguer qu'il y a bien d'autres types de communication et qui relèvent aussi d'une sémiologie (ou d'une sémiotique) : la communication animale (zoosémiotique) ; la communication des machines (cybernétique) ; la communication des cellules vivantes (bionique) ». (p. 7) Les critères discriminatoires semblent avoir disparu. Un tel œcuménisme devait faire froid dans le dos à G. Mounin.

n'importe quoi, il n'est pourtant que Jacques Derrida pour tirer de cet état de fait un jugement de droit et énoncer que l'inflation du mot langage « indique comme malgré elle qu'une époque historico-métaphysique *doit* déterminer enfin comme langage la totalité de son horizon problématique » (*Grammatologie*, 15).

Les sémioticiens de filiation linguistique virent avec divers degrés d'agacement ces philosophies sémiotiques se développer. Les réflexions de Derrida sur l'« écriture non transcriptive », « celle qui a lieu *dans* et *avant* la parole », « trace », « écriture avant la lettre », « différance », « mouvement par lequel ... tout code se constitue « historiquement » comme tissu de différences ». (Derrida, in *Théorie d'ensemble*, p. 51) furent accueillies, sauf erreur, par les sémio-linguistes avec des haussements d'épaules et discutées au contraire par les littéraires et les philosophes dans la mesure où grande restait leur ignorance de la linguistique.

La confusion des langages théoriques, des programmes et des visées qui demeure notre lot (à l'encontre de l'optimisme d'il y a quinze ans selon lequel la sémiologie n'avait « pas encore » trouvé son consensus) peut signaler deux choses, – l'une fort bonne en soi qui est un bouillonnement d'idées, une dynamique polémique des recherches ; – l'autre, moins exaltante, qui serait une sorte de *stase* épistémique, une tendance à l'amalgame, à l'entropie, au syncrétisme. Je n'appliquerai pas ici le principe de non-contradiction et je poserai que cette instabilité terminologique, ce degré minimal de consensus accompagné d'une inflation des hypothèses signalent à la fois l'un et l'autre de ces phénomènes.

DE PEIRCE À MORRIS, PUIS À SAUSSURE

De Peirce à Morris, on définira les icônes comme « cette catégorie de signes qui ont quelque ressemblance avec l'objet auquel ils se réfèrent » (*Collected Papers* de Charles S. Peirce). La signification implique une référence et cette référence renvoie à un objet empirique distinct. Lorsque cet empirisme commencera à embarrasser les sémio-linguistes européens, d'aucuns ajouteront une addition corrective »... ou avec un objet imaginaire ou fictif », sans se rendre compte que si le schéma « identité/rapport à un objet / interprétance » ne satisfaisait pas, il avait au moins sa cohérence, – tandis que l'hypothèse de l'institution du signe par « référence à un objet *imaginaire* » ne pouvait que plonger les esprits dans la confusion. Dès 1968, Umberto Eco (« Semiologia dei messagi visivi », *Struttura assente*) doute de l'emploi que l'on fait de Peirce et critique le modèle Peirce/Morris, mais il n'a pas encore abandonné la notion de « signes iconiques » : il s'efforce seulement de l'arracher à la naïveté analogo-référentielle. Il ne s'arrache pas lui-même pourtant à des schémas encore plus « archaïques » que ceux que lui présente Morris. Ainsi lorsqu'il écrit : « une ligne noire continue (la silhouette d'un cheval) est l'unique propriété que le vrai cheval *n'a pas*, » – cette phrase n'a de sens que si Eco appelle « vrai cheval » le cheval nouménal, parce que le cheval-percept est assez bien représenté par une « ligne noire continue ». D'autre part, le modèle linguistique structural est là pour obliger le sémioticien italien à se poser des questions (et à donner des réponses) qu'en toute rigueur personne ne lui demande. Il pose qu'il y a bien des « signes iconiques ». Que pourtant les « unités » de cette codification ne « peuvent être cataloguées une fois pour toutes » (1, III, 4) car l'objet iconique est un *continuum*. « Voilà en quel sens les codes iconiques, s'ils existent, sont des *codes faibles*. »*(ibid.)*. Malgré les italiques de l'auteur, cette phrase manque de clarté. Que peut-être un code « faible » ? Y a-t-il code ou pas ? À la fin des années soixante, on va se mettre à parler de « code instable », « de multiplicité idiolectale », de « message non codé » (voir Barthes, *1964*, et Pavis, *1976*). «*La codification non codée* est en tout cas une expression bien singulière », remarquera Eliseo Verón en 1970 (*Communications*, n° 15, 57). Si Eco se tourmente l'esprit sur l'existence d'une *double articulation* pour les signes iconiques, c'est que Lévi-Strauss semble avoir posé le dogme qu'« il n'y a pas de langage s'il n'y a pas double articulation ». Si Lévi-Strauss a jamais dit cela, c'était certainement une forme de zèle de néophyte linguistique ; nul linguiste général (et particulièrement pas Martinet) n'en avait dit autant. Eco se sort du piège de la double articu-

lation en appelant à son secours Prieto, *1966*, qui lui permet, fort
à propos, de concevoir l'idée d'« articulation mobile ». Il n'empêche que *la Struttura assente*, loin de montrer le bénéfice du modèle linguistique en sémiologie (malgré la dette que se reconnaît
Eco), manifeste le caractère *d'obstacle* épistémologique dudit modèle et les difficultés par carambolage qu'entraînent les tentatives
de reformulation de ses « dogmes ».

LES « SIGNES DE L'IMAGE » SELON BARTHES

Nous sommes en 1964 : au premier temps
du despotisme linguistique. Roland Barthes (*1964*b) l'un des premiers veut produire une « sémiologie des images » ; il se pose aussitôt cette question : « la représentation analogique (« la copie »)
peut-elle produire de véritables systèmes de signes ? » Arrêtons-
nous dès ce premier membre de phrase, il y a déjà trop de difficultés : – l'essence *analogique* de l'image est posée axiomatiquement ; – cette analogie est identifiée en passant à son caractère de
copie d'une réalité empirique distincte ; loin de se demander comment il y a de la signification « quant à l'image », Barthes pose
d'emblée une question doublement biaisée du côté de la linguistique : si cette signification est faite de *signes* et si, d'autre part,
cette signification est *systématique*, si elle provient d'un « code ».
Aussitôt dit, il enchaîne : « un code analogique – et non plus digi-
tal – est-il concevable ? » Par une troisième présupposition non
assumée, Barthes pose ici que si code il y a , ce code doit être
« analogique » – redressons un peu son énoncé et comprenons un
« code *de* l'analogie ». Après quoi, on lit effaré des phrases
comme : « les linguistes ne sont pas seuls à suspecter la nature linguistique de l'image ». Diable, l'opinion commune naïve doit
aussi suspecter beaucoup cette « nature linguistique » ! ... Après
quoi Barthes, avec l'art qu'il a d'esquiver les problèmes qu'il a lui-
même suscités, déclare avec feu vouloir « soumettre l'image à une
analyse spectrale des messages qu'il peut contenir ». « Spectrale »,
mon Dieu ! Eh puis, voilà la publicité des spaghetti Panzani et
l'intuition descriptive de Barthes se substitue heureusement à son

bousillage théorique. Mais dès que ça rethéorise, l'incohérence réapparaît. Voici donc le signe iconique : « Son signifiant est la réunion de la tomate, du poisson et de la teinte tricolore (...) ; son signifié est l'Italie ou plutôt l'*italianité*. » (Ah ! Est-ce la tomate photographique qui a pour signifié la tomate empirique, qui elle-même ?... Ou l'italianité est-elle liée à la tomatité comme à une synecdoque allégorique ? Ou la tomate, le poisson et le tricolore font-ils une isotopie dont l'italianité fait partie ? Mais il est vain, je pense, d'essayer de clarifier ce vocabulaire *évidemment* inadéquat.)

Après quoi nous apprenons : 1) qu'« on a affaire à ce paradoxe d'un *message sans code* » (thèse reprise de son étude « Le message photographique », *Communications*, 1, 1963), 2) qu'il y a sur la photographie publicitaire « un message iconique codé et un message iconique non codé » (le mot « icône » venu de Peirce a surgi ici inopinément), 3) qu'il y a « dans l'image proprement dite (...) un message littéral et un message symbolique » (d°, 45). Toujours un peu hjelmslevien, Barthes appelle « connoté » ce second message. Si ce second message est composé de « signes forts, erratiques et l'on pourrait dire, *réifiés* » (d°, 51), le discours iconique, « toujours très proche de la parole », le « naturalise », conclut Barthes – je renonce à paraphraser ce langage métaphorique. J'ai évidemment supprimé tout le reste, qui est une description intuitive, mais subtile, de la publicité et des opérations publicitaires (description à laquelle quiconque pouvait arriver sans recours à un appareil théorique). Ce que je voulais mettre en lumière c'est, dès l'origine, l'évidente inadéquation de la phraséologie linguistique, de la koinè para-saussurienne ET la manière irresponsable dont Barthes et ses disciples s'emparent de cette terminologie pour dire n'importe quoi.

EXPRESSION ET CONTENU, SELON HJELMSLEV

Plus encore qu'à Saussure, c'est à Hjelmslev (et à la façon dont il a été compris) qu'il faut remonter pour mesurer les obstacles épistémiques placés par le modèle linguistique (glossématique) sur la route d'une sémiologie généralisée. La distinction de quatre plans, greffée sur celle de « substance du contenu » *vs* « substance de l'expression » a été critiquée comme métaphysique et trompeuse de divers points de vue. L'idée que la manière dont le « monde » est connu et thématisé en signifiés n'est que la contrepartie de la manière dont les sons articulés sont classés en phonèmes (selon un paradigme différentiel clos d'oppositions binaires), cette thèse qui scotomise avec un aplomb naïf toute l'interaction idéologique dans les langages, est véritablement le *proton pseudos*, le mensonge originel des théories structuralistes. Il n'empêche que le modèle hjelmslevien qui paraît si évidemment un coup de force idéologique aux uns, apparaît comme l'axiome élémentaire de toute sémiotique possible aux autres. Ainsi René Lindekens, *1975*, écrit expressément : « Il va de soi que la distinction des deux plans, expression, contenu [pour la sémiotique visuelle] ne fait pas de difficulté. » (p.68) Et « à ce stade, ajoute-t-il, intervient opportunément la classification hjelmslevienne « forme/substance » sur chacun des plans du signe. » Lindekens écarte du revers de la main « les épigones de Derrida », comme s'ils étaient seuls à contester l'axiomatique de Hjelmslev. Tout le chapitre III de Lindekens, *1975*, va consister à retrouver un à un tous les concepts de la linguistique fonctionnelle et à les transposer à l'étude de la photographie....

FACTEURS DE LA COMMUNICATION, SELON JAKOBSON

Autre modèle linguistique appliqué à l'image, mais cette fois-ci moins contestable, *si on pose que celle-ci relève d'une sémiologie de la communication* : le paradigme des facteurs de communication selon Roman Jakobson : l'image sera décrite selon six points de vue : fonction référentielle, fonction expressive, fonction poétique, fonction conative, fonctions phatique et métalinguistique (?) ; c'est ce que fait J.M. Peters en 1974. Dès lors cependant que J.M. Peters passe à la sémiologie *stricto sensu*, il tombe aussitôt dans les à-peu-près para-linguistiques dont nous avons déjà vu les exemples, mais cette fois en des termes où nul linguiste ne se reconnaîtrait : « De la même façon (écrit-il) que le mot « chaise » peut servir de signe pour le concept « chaise », de même doit-on concevoir que la photo d'une chaise est un signe de la chaise représentée. La différence entre le signe verbal et le signe-image doit donc se trouver dans le fait que le premier désigne un concept abstrait et le second un objet concret (...). Dans un énoncé linguistique, la chaise est seulement *nommée* ; dans l'image, la chaise est représentée de façon perceptible. » (82 ; ma traduction du néerlandais).

MÉTAPHORE ET MÉTONYMIE, SELON L'ANCIENNE RHÉTORIQUE

En 1970, Eliseo Verón part sur une idée intéressante et même, je crois, fondamentale : que, souvent, une image signifie en ceci que l'événement représenté est compris comme un moment d'« une séquence d'action » plus complexe, qu'il y a là le fragment d'un « récit » que l'observateur de la photo reconstruit spontanément. Un homme de belle apparence refait le nœud de sa cravate, une femme le regarde avec tendresse et soumission. Cela peut entrer dans un récit où les narrèmes antérieurs sont : ils viennent de faire l'amour, le monsieur se rhabille le premier, tandis que la dame encore alanguie se dit : «*Cada vez me gusta màs* », – cela me plaît plus à chaque fois (slogan de la photo publicitaire en question). Certes, mais au lieu de se demander pourquoi ce/ces récit(s) préconstruit(s), d'où ils viennent et quel est dès lors la nature de la semiosis « iconique », Verón va gauchir à son tour son analyse vers une phraséologie linguistique (reprise à l'ancienne rhétorique par Roman Jakobson) : le fragment narratif sera appelé *métonymie*, « signe métonymique », agissant par « contiguïté ». L'icône sera alors « le message analogique (...) de signes métonymiques », *la métaphore d'une métonymie*. On retrouve certes des mots clés de Jakobson, mais ont-ils quoi que ce soit à faire ici ? N'y a-t-il pas de nouveau un forçage linguistique oiseux ? La métonymie (en sémantique) n'est autre chose que l'expression d'un terme de catégorie par sa différence spécifique :

un bateau à voile (classe englobante - différence spécifique) –
« une voile » ; un manteau de vison – « un vison » ; une salle de billard – « un billard » (ceci combiné ou non avec la brachylogie).
Va-t-on appeler métonymie *toute* fragmentation d'un objet composé ? pour éclairer quoi ? Pour respecter quel modèle ? Et cette
représentation d'un fragment d'une totalité culturelle implicite,
que gagne-t-on à la dire métaphore de métonymie ?

ANALOGON D'INDICES ?

On pourrait aussi bien dire, sur le même
exemple, que l'image est un analogon d'indices – parce que l'indice est aussi une figure de-la-partie-pour-le-tout. Mais la relation
construite plus haut est-elle du type « fumée *indice de* feu » ? Tout
se passe comme si le dialecte linguistique offrait de nombreux
mots qui, une fois arrachés à leur usage axiomatique, peuvent servir à n'importe quoi.

UNE SÉMIOTIQUE SANS CODE

On a vu plus haut (on pourrait multiplier
les exemples) que le slogan selon lequel l'image produisait une signification « non codée » a été largement répandu. Le tout était de
savoir ce qu'on voulait dire par là. Au sens fort ça voulait dire :
une signification strictement *sui-generis* et donc aléatoire. Eliseo
Verón a cependant bien montré (*Degrès* 7/8, 1974) que le mot
« code » est utilisé par les uns et les autres avec une extension et
des spécifications variables. Fréquemment, parler de « message
sans code » revenait à poser cette banalité que l'image ne faisait
pas du sens avec le même genre de contraintes que les langages articulés. Le fétichisme du Code en linguistique, suggérait Verón,
trouve ses origines dans « la théorie bourgeoise de la société », il
sert idéologiquement à masquer l'idéologie. Il en va de même
pour le fétiche de la communication. Ce sont ces deux concepts
non critiques que nous retrouverons constamment sur notre che-
min.

LES « CODES »
CINÉMATOGRAPHIQUES

Christian Metz (*1968,1971*) s'intéresse au domaine des simulacres animés, *movies*, à une sémiologie du film, « considéré comme un langage » (*1971*, 10). Nous ne relèverons que ses axiomes, son point de départ, son cadre théorique et ne nous étonnerons pas de rencontrer une fois encore le recours immédiat à des schèmes linguistiques (« il existe des *codes* cinématographiques ... » (*1971*, 11) et notamment aux thèses de Louis Hjelmslev. La sémiologie du film a pour objet « l'étude totale du *discours* filmique, considéré comme un lieu intégralement signifiant (= forme et substance du contenu, forme et substance de l'expression) ». C'est à partir de là que Christian Metz va traiter du cinéma comme d'un enchevêtrement ou d'une multiplicité de « langages » réalisant de multiples « codes spécifiquement cinématographiques », sans parler des « codes filmiques », c'est-à-dire des structurations particulières à tel film ou tel genre filmique. Parmi ces codes, Metz fait état des codes « iconiques-visuels » (qui ne sont pas spécifiques au cinéma, eux, mais à tous les « langages de l'image », 172). Une fois encore, ces codes sont « relativement nombreux » : il y a les « codes de l'analogie », les « codes de la plastique », « le code des nominations iconiques », mais aussi « les codes de l'image mécanique » (de la production des images par voie de duplication mécanique), « les codifications photographiques » ...(172-173). On n'en viendrait pas à bout ; certains avaient parlé pour l'image de « message sans code ». Avec C. Metz, on a des images produits de $n < \infty$ codes, N étant un nombre tellement élevé que l'auteur semble dire que leur regroupement exhaustif est à lui seul une entreprise de longue haleine. Jusqu'ici on manquait de codes, voici qu'il nous en vient tant que la liste même ne peut s'en dresser[3].

---

3. Dans son ouvrage de 1977, Christian Metz admet fort explicitement que « langage » dans le syntagme « langage cinématographique » est un abus de langage, justifiable seulement métaphoriquement (26-27). Peut-être dirait-il que « code » est aussi une approximation imagée ? Il y a tout de même bien des risques dans ces métaphores-là.

PAS DE SÉMIOTIQUE POUR
L'IMAGE FIXE ?

Jean Mitry, *1963*, pose lui qu'il n'y a pas de
signification propre à l'image photographique, pas de sémiotique
du tout : « l'image d'un objet s'identifie à lui dans la mesure où
elle le pose comme existant. De ce fait, elle signifie ce qu'il peut si-
gnifier. Mais de par sa nature d'image, elle ne signifie rien. Elle
montre, c'est tout » (120). Tout changerait, selon Mitry, avec les
simulacres mobiles, le cinéma ; la signification y naîtrait de la *relation* entre les images successives, de leur implication et de leur
implicite. Retenons donc en passant une autre thèse : pas de signification spécifique à la représentation imagée, si elle est fixe !

SÉMIOTIQUE DU MONDE NATUREL

C'est A.-J. Greimas qui le premier (voir
Langages, 7, 1968, repris dans *Du Sens I*) a cherché à concevoir
globalement une prétendue sémiotique du « monde naturel », en
partant de la problématique saussurienne. Greimas va s'intéres-
ser essentiellement au « monde visible » (comme catégorie du
monde sensible en général). Cette « réalité objective » écrit-il,
« telle qu'[elle] se présente, est constituée d'objets-noms ou de
procès-verbes » (*Du Sens*, 53). Je sursaute, d'autant que Greimas
ajoute qu'on peut indifféremment interpréter le monde visible fait
de « noms » et de « verbes » soit « comme le résultat d'une activité
linguistique », « soit comme la source du symbolisme linguistique » (53). Tout d'abord, cette alternative me semble trop essentielle pour qu'on la traite comme négligeable et qu'on passe dessus en quelques mots. Le premier « soit » semble indiquer qu'on
ne parle plus du « monde visible », mais bien d'une activité cognitive qui serait immanente à la structuration linguistique et qui n'a
rien à voir avec le monde naturel visible. Le second « soit » em-
barrasse tout autant : il semble dire que les structurations linguistiques pourraient émaner des structures objectives du monde
connaissable. Greimas pose l'existence des « signes naturels »
dans cette ambiguïté. Il institue les « signes naturels » parce que,

dit-il, *tous* sont susceptibles de « renvoyer à autre chose ». La démonstration qui suit fait appel au domaine de l'indice et à celui de successions causales du type « nuages → pluie ». Greimas me semble jouer ici sur le caractère prétendument *naturel* de la connaissance indicielle et éliminer le caractère contingent et historique des diverses façons dont le monde est connu pour parler d'« un horizon *figuratif* qui se projette devant l'homme, lequel y puise pour constituer ses inventaires de forme » (54 ; avec référence à Bachelard).

Autrement dit, A.-Julien Greimas confond dans le mot « naturel » l'idée d'une structuration objective, précognitive du monde et l'idée d'une transhistoricité anthropologique de la connaissance du monde naturel (thèse qui est un axiome de sa propre sémiotique et se retrouve de toutes sortes de façons dans sa narratologie et dans sa poétique). À mes yeux, le syntagme même de « sémiotique du monde naturel » est purement discordantiel. Parler de l'objet TABLE comme d'un « signe naturel » est inintelligible ; parler d'une sémiotique inscrite dans la physiologie, une gnoséologie innée ou un gestaltisme anthropologique (comme il le fait plus loin) me paraît d'abord déplacer le problème, soulever ensuite des questions où Greimas parvient à conclure avec une enviable aisance : « gestualité normale », « gesticulation naturelle », « liste indicative (des) comportements naturels simples » (60, 61). Tout cela constitue des *entia rationis* douteux. Je ne discuterai pas ici de la théorie *a priori* de la gestualité que Greimas développe ensuite. Je m'arrête à constater que son point de départ est singulièrement fragile.

Je n'aborderai pas en termes globaux la critique de la sémiotique greimasienne ou, comme il convient de dire désormais, de l'École de Paris. Les modèles hypothéticodéductifs produits par Greimas à partir de Saussure et de Propp pour rendre raison de la genèse de la signification dans sa généralité ne se sont guère appliqués aux domaines de la photographie ou de la peinture comme tels.

LE SYNCRÉTISME SÉMIOTIQUE

Ce syncrétisme apparaît dans les années 70, dès lors que plusieurs traditions sémiotiques entrent en interférence. Le procédé consiste ici à empiler Peirce (revu par Morris), sur Saussure commenté par Barthes ou par Prieto, puis Ogden et Richards, puis Greimas, Kristeva, Eco : à les faire tenir tous ensemble en un *continuum*, non sans offrir des échappées sur Derrida, Lacan et Althusser : à baptiser cet instable coquetèle épistémique «*le* Projet sémiotique» au singulier, – ce qui permettra de passer dans la même phrase du signifiant/signifié au symbol/désignatum/referent, au representamen, à l'interprétant et attribuer enfin (ou plutôt d'emblée) à Saussure le projet d'une science « de toute signifiance à l'œuvre dans les diverses pratiques sociales » (p. 21), en quoi le maître genevois devient en effet le digne précurseur de Julia Kristeva. Cet éclectisme syncrétique est à l'œuvre dans bien des manuels récents, – nous avons pris pour exemple ci-dessus l'ouvrage intitulé *le Projet sémiotique : éléments de sémiotique générale* de E. Carontini et D. Peraya (1975). Pas plus qu'aucun autre, le concept de « signe iconique » ne fait alors problème. Il se présente avec l'évidence de l'éclectisme dans une sorte de dialecte commun de *la* sémiologie : « le plan cinématographique d'une maison par exemple est un *signe iconique* parce que ce plan me donne la structure de la maison en montrant une structure identique *par certains aspects* »(29). Aussi, Peirce aura-t-il eu raison de parler d'icônes « pour lesquelles la ressemblance est assistée toujours de règles conventionnelles » (31). Les auteurs du manuel concluent leur développement en ces termes : « Remarque importante quand on songe que ce code perspectif est aujourd'hui vécu par le sujet dans une naturalité qui a tout lieu de sembler suspecte. » Le lecteur reste parfaitement perplexe devant cette mise en garde, mais il a au moins retenu ceci : que Peirce, avec sa théorie des icônes, offrait un complément naturel au projet saussurien...

ÉCLECTISME TERMINOLOGIQUE

A. Bergala, *1978*, parle d'emblée de « récit iconique » et de « codes » pour une approche didactique du récit en images. Sa pédagogie est louable, son intention de « critique idéologique » de son corpus (7) également et l'auteur avoue n'avoir pas l'intention d'offrir une théorie rigoureuse de la question. Mais d'où lui viennent les phraséologies, les outils conceptuels auxquels il a recours ? Qu'est-ce que la « narrativité iconique », qu'est-ce que le « code métonymique du montage » (39) ? Comme ce langage est peu sérieux, alors même que l'intuition de l'auteur va à l'essentiel de sa visée : « un double travail du texte iconique, permanent, inlassable, obsessionnel, *naturaliser la diégèse* (transformer le signifiant fragmentaire et discontinu en illusion d'univers naturel, homogène et continu) et *diégétiser l'énonciation* (verser au compte de cet univers les opérations et le discours de l'énonciation) » (*ibid*).

AVATARS DE L'« ARBITRAIRE DU SIGNE »

On a vu que le grand problème du « signe iconique » semblait être de se mettre d'accord sur le sens du « lien *analogique* » entre ses « signifiant » et « signifié » supposés. Dans la mouvance saussurienne, *analogique*, lit-on un peu partout jusqu'à nos jours, doit s'entendre comme « opposé à arbitraire ». Cela serait bien si nous savions exactement ce que veut dire « arbitraire ». Le *CLG* parle d'un « lien » de ce genre entre signifiant et signifié. Mais voici que je lis chez E. Verón, *1970*, « On dit toujours qu'un signe est arbitraire quand il n'y a aucune relation intrinsèque entre ce signe et la CHOSE qu'il représente. » (57) Hélas, ceci c'est une reformulation pseudo-saussurienne d'une idée empiriste de la sémantique américaine. D'où la forte affirmation, empruntée à Bateson, selon quoi « rien dans le mot « table » ne ressemble [*voilà l'analogie*] particulièrement à une table ». Cette espèce de réfutation simpliste du cratylisme n'a *rien* de saussurien. Une fois de plus, comme si elle était vraiment intenable, la règle de Saussure, rester dans « la langue, en elle-même et pour elle-même » est transgressée dans la confusion.

L'IMAGE PUBLICITAIRE

L'ouvrage de Louis Porcher, *1976*, est consacré à théoriser une sémiotique des images en prenant pour corpus un ensemble d'images publicitaires de cigarettes. Tout en acceptant globalement dans l'introduction un syncrétisme sémiologique saussuro-barthésien, l'auteur procède surtout à des enquêtes psycho-sociologiques de *verbalisation*, et manipule à ce niveau une problématique de commutations, d'alternatives et de pertinence/non-pertinence. Je suis seulement très hésitant à appeler « signifiants » et « signifiés » les énoncés produits par les témoins examinés ; alors que pour d'autres chercheurs la verbalisation doit être à tout prix distinguée de la sémiotique de l'image, elle constitue ici un inventaire préalable à des interprétations synthétiques. (Pour le reste – c'est-à-dire pour les considérations socio-culturelles, – l'ouvrage de L. Porcher contient des développements remarquables, notamment tout le chapitre III « l'Image publicitaire, narcissisme social ».)

L'OBJET ICONIQUE « SANS RÉFÉRENCE »

Dans l'« Éditorial » du numéro 15, 1978, de *Degrés* consacré au « signe iconique », A. Helbo note que la controverse sur la nature dudit « signe » ne fait que croître, alors même que le « retard méthodologique » des études sur le théâtre, le cinéma, la télévision serait en voie de se combler. Dans le même numéro, G. Thérien renonce à l'expression de « signe iconique », pour s'attacher à la question que pose l'«*objet* iconique », image fixe ou mouvante : c'est un objet matériel, un artefact produit. Mais la difficulté (qu'il ne me semble pas surmonter) paraît venir de la distinction difficile à établir *signification/référence*. – « Le film se construit sans référence à un objet réel. » Il va jusqu'à écrire : « L'iconique au cinéma ne renvoie *ni* à un quelconque au-delà du film, *ni* à une duplication de la réalité. » Peut-être ; mais qu'en est-il alors de cette signification *sui generis*, immanente à un « support matériel », où le spectateur est réduit à « un investisse-ment de chacun dans l'objet », lequel investissement (dirions-nous « projection », au sens psychologique et non filmique ?) est évidemment étranger à une sémiotique des images cinématogra-phiques. Le cinéma procure des « effets de réel », mais « la con-sommation du signe est laissée à l'*arbitraire* d'une salle noire ». Ce relativisme de la signification me paraît exclure la possibilité même d'un savoir quelconque, – de quelque sémiotique que ce soit[4].

À QUOI « RENVOIE » L'ICÔNE ?

« L'icône est un signe qui dénote le réel », écrit d'abord Patrice Pavis (*1976*, 161). Le lecteur en conclut que les autres « signes » possibles dénotent autre chose que le « réel » (mais on ne lui dit guère ce qu'est le réel). Il apprend (162) qu'à côté de cette dénotation, l'icône peut également connoter, c'est-à-dire « renvoyer à plusieurs autres signifiés complémentaires ». Définition curieuse de la connotation comme complémentarité qui, interpolée dans la première définition, revient à ceci, qu'un signifié est synonyme de « fragment du réel ». D'autant que la connotation, selon Pavis, doit se distinguer ainsi d'« un signe ren-voyant à un autre signe », qu'il nomme *index* (ne pas interpréter comme *indice*). L'*index* signifie par interréférence contextuelle et relève ainsi du « message » et non du code (162). Non du code, car l'auteur a précisé qu'il faut concevoir deux sémiologies ou deux approches sémiologiques, une « sémiologie du code » et « la sé-miologie du message (ou du discours) ». Quant à la dénotation, elle est, dit P. Pavis, « la relation entre le signe et le référent ». Que

4. C'est une idée d'Edgar Morin que l'image photographique ou cinématographique n'a pas de « référent » dans l'ici-bas. Sa référence appartient à un « espace imagi-naire ». Sans doute, mais n'est-ce pas la fin naturelle d'une sémiotique d'essayer d'arracher ces intuitions sur le fictionnel à leur imprécision plutôt que de s'hypno-tiser sur la thèse de l'« image sans référent » ?

vient faire ce référent dans une terminologie saussurienne ? C'est
que « le signe linguistique renvoie à une chose existante ou imaginaire : son référent ». Existante *ou* imaginaire ? Bel éclectisme et
qui ne nous avance guère. Mais qui semble permettre à l'auteur
de distinguer radicalement la « littérature » du « théâtre » et autres arts *iconiques*. « La littérature (...) renvoie à des signifiés »
(165 ; mais j'avais cru comprendre plus haut que les signifiés « dénotent le réel »). « Tout signe iconique peut renvoyer directement
aux objets désignés » (qu'est-ce que « renvoyer » à propos ?) « en
mettant en scène certains des objets dénotés par ses signes » (par
ses signes ?) Décidément, je comprends sans comprendre ; il y a
ici, ce me semble des équivoques et des raisonnements circulaires.

LA « SPÉCIFICITÉ ICONIQUE » ET LE VISUEL/VISIBLE

René Lindekens est le théoricien qui a le
plus exclusivement consacré sa réflexion à une sémiotique des
images photographiques et cinématographiques. (Voir Lindekens, *1971* et *1976.*) La première proposition de Lindekens revient à poser que l'image (n')est (qu')une modalité du visible :
« l'image est *lue* avec la même avidité (sinon de la même manière)
que l'ensemble des objets du réel. Elle suscite en nous un intérêt
comparable » (*1976*, 10). Il semblerait qu'une sémiotique de
l'image ne se distingue donc pas essentiellement d'une « sémiotique du monde sensible » dans la mesure où du sens s'y produit et
notamment du sens perçu par le moyen de la vue. Nous « décryp-
tons le monde visuel », comportant des objets mais aussi des images d'objets. Avec ce point de départ, on s'attend à voir l'auteur
abandonner toute exigence de « spécificité iconique » – et c'est
pourtant de cette spécificité que Lindekens va traiter exclusivement. Il lui faut poser pour cela qu'en reproduisant des êtres et
des objets que nous aurions aussi bien pu percevoir « en réalité »,
l'image les instaure, par « analogie », comme partiellement différents du fragment de réel représenté (12).

Ainsi, Lindekens attribue une spécificité à
l'iconique où la présence d'un « multicodage » est constitutive de

signification (13). L'iconique « formalise » ce qui est directement perceptible et cette formalisation appelle la constitution de « morphèmes iconiques » et même d'une seconde articulation faite de « traits pertinents ». Le modèle linguistique revient donc en force. L'aporie méthodologique principale de toute recherche réside selon l'auteur dans la nécessité *et* l'impossibilité de *traduire* le message iconique en mots, en messages verbaux. « Le malaise vient de ce que nous ne pouvons parler » de l'image qu'avec des structures verbales.

La spécificité iconique est au moins clairement liée par Lindekens à cette nécessité épistémologique que d'autres chercheurs semblent presque ignorer : celle de *prouver l'existence d'un plan de l'expression,* d'une systématique du signifiant, doté de caractères spécifiques, différents de la ressemblance avec l'«*image aérienne* de l'objet » représenté (27). Nous ne voulons pas anticiper sur notre propre argumentation, mais c'est ici en effet qu'elle interviendra : elle consistera à dire qu'un tel plan de l'expression n'existe pas sémiotiquement, qu'il n'est pas besoin de le postuler ; que les traits « plastiques » ne sont pas spécifiques au simulacre-image d'une part et qu'ils ne sont pas des constituants de signification immanents à l'image. Pourtant nous ne nous heurterons pas, croyons-nous, « à nier l'iconique au profit du monde réel » (27), ni à confondre l'image et sa verbalisation.

Au chapitre III, Lindekens distingue deux sortes de « codages » essentiels à l'icône : 1) celui du *rendu* (des traits distinctifs d'un objet réel) et 2) celui du *vraisemblable.* Deux objections diamétralement opposées me viennent aussitôt aux lèvres. Le degré d'adéquation de l'analogon photographique (le *rendu*) n'est pas un codage du tout, et Lindekens le dit bien en parlant d'un « code dont l'origine est, sinon exhaustivement du moins en grande part, biologique ». Les « codes biologiques » ne sont que des métaphores, ils n'ont rien à voir avec une *sémiosis,* à moins qu'on ne considère que la signification est transphénoménale. Quant au(x) code(s) du vraisemblable, si code il y a cette fois-ci, ils appartiennent à l'idéologie, à la doxologie sociale, à des configurations topiques et narratiques : il ne peut rien y avoir de spécifique à l'icône dans tout cela. Lindekens, qui ne parle pas d'idéologie, dit que ce « deuxième code » est « partiellement psycho-social ». Dans son propre vocabulaire, cela revient à reconnaître qu'il n'est pas spécifiquement iconique – le système phonologique d'une langue, lui, est au contraire bien spécifique à sa qualité de langue naturelle.

LE PLASTIQUE ET L'ICONIQUE

Le groupe « Mu » en 1979 semble ne pas éprouver de problème à parler sans préalable et d'emblée des « signes iconiques ». Il cherche à fonder sa sémiotique des signes iconiques sur une distinction radicale de l'élément iconique (qui engage la *mimesis*) et de l'élément plastique (qui regroupe les moyens par lesquels cette mimesis se réalise, les caractéristiques « substantielles » du signe iconique). Voici donc une nouvelle opposition axiomatique qui se propose au chercheur. Elle veut notamment éviter de traiter lesdits faits plastiques comme de variations « rhétoriques » n'appartenant pas au code primaire de la signification/représentation des images. Le groupe « Mu » cherche aussi à arracher l'étude du fait plastique à la spéculation ou aux herméneutiques esthétiques qui s'en emparent d'ordinaire. Il y a, pour le groupe « Mu » une double sémiosis des images (confondue souvent l'une dans l'autre), un « signifiant plastique » et son « signifié » et leurs contreparties iconiques. Nous avons bien avec les chercheurs de Liège un redoublement de sémiosis et non une sémiosis de connotation. Deux sémiosis, susceptibles d'être connotées, cela fait quatre plans de signification (p. 179). Les exemples qui sont présentés s'efforcent de faire apparaître ce quadruple plan de significations. Je trouve bien de l'intérêt à suivre les analyses et les distinctions opérées par le groupe « Mu » (avec une grande dépense néologique). Je me dissocierai pourtant de leur conception de la *semiosis* plastique ; qu'il suffise de signaler que le groupe « Mu » définit le *plastique* comme le lieu d'une signification et même d'un réseau signifiant, c'est-à-dire de façon radicalement opposée aux esthétiques qui voient dans le fait plastique la réalisation esthétique d'idéalités géométriques. Le plastique est pour eux, nécessairement, de l'ordre de la *signifiance* avec le degré de conventions historico-culturelles qu'elle comporte.

C'est la disjonction même iconique/plastique, autant que le maintien d'une perspective hjelmslévienne, que je serai amené à critiquer.

SÉMIOTIQUE OU SÉMIURGIE

Il y a dans ce qui précède suffisamment de contradictions et de confusion pour porter au pessimisme : Edmond Radar (*Degrés*, 4, 1973, d3) est un des premiers à penser qu'il faille « renoncer à constituer pour l'instant une sémiotique de l'image ». Sensible au paradoxe que constitue cet aveu dans une société où l'image est omniprésente, E. Radar suggère que c'est le caractère « systématique et clos » du modèle saussurien qui fait obstacle. L'image est un milieu « astructuré » où le sens émerge dans une « genèse » aléatoire. On peut parler tout au plus d'une *sémiurgie* « dont l'objet serait de rendre compte de ces modes d'instauration du sens ». Cette sémiurgie serait dans le prolongement d'une réflexion sur les techniques de communications et les simulacres cybernétiques.

SIGNIFICATION SYNCRÉTIQUE DE L'IMAGE

P. Raffa, *1976*, décrit à loisir le « défi que lance l'image à la mentalité logocratique ». Il insiste sur le fait que l'image est un *tout*, un syncrétisme, perçu de façon globale et primaire, antérieurement à tout effort de décomposition analytique. À cette perception syncrétique de l'image correspond nécessairement un mode de signification lui aussi syncrétique dont l'abstraction analytique ne peut rendre compte. (Ce qui n'exclut pas l'existence de systèmes d'images conventionnelles, codées : signaux de circulation, etc.) L'auteur remonte à Ribot, à Freud, puis à Cassirer, pour poser la thèse d'une phase syncrétique de la pensée humaine, antérieure à la formation de la conceptualisation différentielle.

L'ICONE SANS ACCENT OU PEIRCE
EXPLIQUÉ

Il est essentiel de rappeler ici (ou de dire tout simplement) que la catégorie de l'*icône* ne devrait pas s'isoler de la triple trichotomie du signe conçue par Charles S. Peirce. Cette catégorie englobe effectivement les images et simulacres fixes, dans la mesure seulement où on considère lesdits simulacres comme signifiant un objet « auquel ils renvoient », et rien d'autre. Chez Peirce, l'*objet* n'est pas un phénomène, d'ordre psychique ou matériel, mais qui en tout cas aurait un statut extra-sémiotique. C'est le parcours – objet – signe – interprétant qui instaure le sens ; l'« objet réel » est donc un des pôles de cette semiosis. La catégorie « icône » ne s'applique pas nécessairement à *toute* signification repérable par la perception d'une image. Cette catégorie est enfin absolument étrangère à la conception du signe chez Saussure, de même que la sémiotique de Peirce – partie de sa gnoséologie phénoménologique – est étrangère à la sémiologie sociale suggérée par Saussure et de façon générale à tout ce qui s'est dénommé « sémiologie » ou « sémiotique » chez divers penseurs européens. Une épistémologie comparée de F. de Saussure et de C.S. Peirce, et plus généralement des logiques et théories de la connaissance modernes, permettrait peut-être de concevoir des médiations et des rapprochements possibles. En attendant cette étude qui n'est pas accomplie, tout rapprochement facile entre la logique de Peirce et le fonctionnalisme saussurien ne peut qu'engendrer la confusion. Quant à l'usage du mot « icône » pour désigner, sans plus, des occurrences de signification comportant un caractère d'analogie ou de réplique, cet usage n'est qu'une aberration incompatible *à la fois* avec le point de vue qui détermine Peirce et avec la conception sémiologique de Saussure.

Linguiste de formation, Jürgen Pesot a publié une introduction à la sémiotique dans une collection universitaire, *Silence, on parle* (1979). Ses analyses et ses théories sont largement illustrées par le recours à des images, des photographies, des dessins, des caricatures. Il y a d'excellentes choses dans l'ouvrage de Pesot, notamment de la cohérence puisque ses références sont essentiellement du côté de Peirce (dont il donne un exposé clair pour le lecteur exclusivement francophone) et des sémantiques/logiques anglo-saxonnes. Il y a même une excellente idée, qui risque de passer inaperçue. Comme le lecteur francophone interprète constamment le mot « icône » comme « image visuelle », peut-être par référence aux « icônes russes », interprétation extrêmement dangereuse si on veut comprendre Peirce, Pesot prend sur lui d'en faire un *autre* mot en lui ôtant l'accent circonflexe : « icone »...

        J. Pesot insiste à bon droit sur le fait que les catégorèmes de Peirce étaient moins des *classes de signe* que des *aspects du signe*, de la signification perçue sous un point de vue donné. Une « icone » est un aspect de signe dont le *representamen* a plus ou moins de traits en commun avec l'objet (Pesot nous dit que Peirce le nomme parfois « simulacre »). L'auteur rappelle que l'image, dans un sens *très* large, n'est qu'une catégorie de l'aspect iconique, à quoi il faut ajouter la métaphore (la métaphoricité) et le diagramme (les schématismes) ; il montre aussi que la tripartition icone/indice/symbole n'est qu'un fragment abusivement arraché à la sémiotique de Peirce ou plutôt à cette partie de la gnoséologie et logique générale que Peirce nommait « semiotics ».

        Il faut dire, car cela s'est rarement dit, que la rencontre des *mots* semiotics (Peirce) et sémiologie (Saussure) est un pur et simple accident de phraséologie philosophique qui n'impliquait aucune communauté de pensée et aucun intertexte scientifique commun entre les deux chercheurs.

« ICONICITÉ » *VS* « ICÔNE »

        Ce qui frappe dans le *Dictionnaire raisonné de sémiotique* de Greimas et Courtès, dans la mesure où il se veut systématique et non éclectique, c'est la disparition pure et simple de l'entrée « Icône ». Par contre, les auteurs retiennent l'« Iconicité », c'est-à-dire le caractère d'une pratique sémiotique visant à produire une *illusion* référentielle [5]. L'iconicité serait alors une des formes ou un des modes de la figuration, c'est-à-dire de la

5. Rappelons qu'on trouve dans les grands dictionnaires antérieurs, une définition plus ou moins peircienne de l'« Icône » ; ainsi, dans le Ducrot/Todorov (*DESL*) (p. 115) ; une définition de l'Icône comme « représentation » et « similitude » dans

conversion des thèmes en figures. Toutefois, je trouve un certain flottement dans le *Dictionnaire* : dans les entrées «*Iconicité*» et «*Image*», notamment, il est fait constamment référence à une « sémiotique visuelle », mais le glossaire de Greimas et Courtès n'offre pas d'entrée pour cette discipline (ni à « sémiotique » ni à « visuelle »). La référence au monde naturel – pour parler de l'effet d'« Iconicité » – nous ramène aux définitions singulièrement anhistoriques et anidéologiques dudit Monde naturel : c'est « le paraître selon lequel l'univers se présente à l'homme comme un ensemble de qualités sensibles (...) ; monde du sens commun, (...) il se présente dans le cadre de *la* relation sujet/objet, il est l'énoncé construit par *le* sujet humain et déchiffrable par *lui*». Si le *Dictionnaire* de Greimas et Courtès semble préférer insérer l'« imagerie » dans le cadre d'une « sémiotique planaire », cette dernière est définie enfin comme ayant un « signifiant bidimensionnel » : il me semble qu'il y a ici une redoutable confusion du *signifiant* et des traits matériels du *signal* (même en acceptant l'application de cette terminologie en ce lieu). Cette définition du signifiant est liée à des traits sémiotiquement non pertinents. Sinon il faudrait dire qu'un drapeau (signe arbitraire) est aussi un « signifiant bidimensionnel » – et même « tridimensionnel » ... lorsqu'il flotte.

ET UMBERTO ECO ...

Je n'ai pas fait état jusqu'ici de celui qu'on considère à bon droit comme le plus considérable théoricien contemporain de la sémiotique et l'un des plus critiques : Umberto Eco dont la *Trattato di semiotica generale* (1975) comporte un long chapitre sur l'« iconicità » intégré dans une doctrine générale

---

le *Guide alphabétique* de Martinet. Il n'y a pas d'entrée « icône » dans les dictionnaires de linguistique *stricto sensu*, et pour cause. Pas non plus dans les dictionnaires récents de philosophie, p. ex. le Foulquié/Saint-Jean (*1969*). On parlera aussi bien désormais d'iconicité de la musique (de textes musicaux), du langage poétique (métaphorique ; v. Ricœur, *la Métaphore vive*)...

de la signification sociale. Ce chapitre est d'autant plus intéressant qu'il comporte une partie de réfutation systématique des thèses antagonistes relatives aux « icônes ». D'une certaine manière j'adhère à la critique qu'il fait de « six notions naïves » ayant cours en sémiotique. Cependant, il y a une septième notion, – la sienne, – qui tout en étant plus avisée, suscite de ma part les mêmes objections que celles que je fais à tous autres. C'est pourquoi je me borne à prendre date ici et à renvoyer la discussion des thèses d'Eco au chapitre VI, lequel venant après l'exposé de ma contre-proposition pourra être bref.

II

Les fondements d'une sémiotique fonctionnelle et leur critique

LA SÉMIOLOGIE DE LUIS PRIETO

Depuis vingt ans, Luis Prieto poursuit une réflexion théorique d'une rigueur peu commune. En sémiologie, on se trouve fréquemment placé devant l'alternative *ou* d'un travail délibérément cantonné dans une problématique si restreinte que la pertinence en semble fonction inverse de l'intérêt, *ou* d'une dérive d'hypothèse en hypothèse, qui se perd dans le brillant et le spécieux, en feignant de croire résolues des difficultés qui ne sont qu'escamotées. À la fois systématique et perspicace, l'œuvre de Luis Prieto est sans doute celle qui s'inscrit de la façon la plus rigoureuse et la plus critique dans la filiation de F. de Saussure.

Les deux ouvrages que L. Prieto a fait paraître en 1975, *Études de linguistique et de sémiologie générales* et *Pertinence et pratique*, offrent une synthèse de sa réflexion. Ces deux ouvrages s'articulent sur ses recherches antérieures, *Principes de noologie* (1964) et *Messages et signaux* (1966) notamment. Ce dernier essai établissait les fondements d'une SÉMIOLOGIE DE LA

COMMUNICATION assimilée à la linguistique générale, tout en amorçant une théorie englobante des faits sémiotiques.

      Pertinence et pratique, en partant d'une re-définition des concepts essentiels de la linguistique saussurienne étend progressivement la réflexion à une gnoséologie de la pratique et à une critique épistémologique des sciences de l'homme. Des apories et des ambiguïtés qui depuis toujours embarrassent le chercheur aux prises avec les interpolations du *CLG*, se trouvent clarifiées, mais le travail reste dans la mouvance de Saussure dont Prieto demeure avant tout le disciple « conséquent ». Pour rétablir sa filiation, il faut citer l'école de Prague, Hjelmslev, Buyssens, et Martinet (dont il s'est progressivement écarté). Sans le proclamer ouvertement, Prieto s'est donné pour tâche de pourchasser certaines « réinterprétations » idéalistes, positivistes et certains avatars du système saussurien. Il lui importe également d'éliminer ce qui, dans le discours saussurien tel qu'il nous est transmis, prête à des interprétations innéistes ou psychologistes.

      Ainsi, à la définition obscure du signe comme « entité psychique », le patient travail de Prieto a substitué une axiomatique qui, partant des conditions concrètes de la communication, fait du signifiant une classe déterminant l'identité d'un signal, et du signifié, une classe déterminant l'identité d'un sens, la pertinence réciproque de ces classes constituant le signe.

      Au-delà de Saussure même, le modèle PHONOLOGIQUE reste la référence privilégiée. La notion de pertinence (plus que celle de commutation) apparaît comme la notion clé de tout savoir anthropologique : « une structure analogue à celle que la phonologie suppose pour l'ensemble de la langue se retrouve à la base *de toute connaissance* » (*1975b*, 9).

      L'objet principal que se donne la réflexion de L. Prieto est, nous l'avons dit, la sémiologie de la communication, identifiée à la linguistique générale, et s'ouvrant sur une gnoséologie. L'auteur refaçonne dans toute sa complexité le modèle sémiotique de base, pour en finir avec les innombrables contresens et transpositions analogiques subies par ces concepts dans leurs migrations à travers différents champs d'analyse. Notamment le « renversement » voulu par Barthes qui fait de la sémiologie « une partie de la linguistique » se trouve taxé de confusion. Ce qui compte aussi est l'effacement radical de certaines notions courantes, « référent », « linguistique de la parole », « norme » (selon Coseriu), « système substitutif », au fur et à mesure qu'apparaissent les malentendus qui sont au principe de ces notions.

En disant simplement qu'il n'est pas et qu'il ne peut y avoir de *paradigme du signe*, Prieto élimine une difficulté qui, à travers les imprécisions du texte du *CLG*, n'a cessé de perturber la réflexion linguistique.

GNOSÉOLOGIE DES PRATIQUES

L'idée de rapprocher le signal de l'outil, de renvoyer la fonction de celui-ci à des classes d'opération et donc à une unité bifaciale opérant/utilité a pour effet de réinscrire les pratiques signifiantes parmi l'ensemble des pratiques sociales. Dès 1960, Prieto s'est intéressé à la pragmatique. La production du sens peut avec lui être pensée comme « travail ». Une ouverture sur une théorie des sciences de l'homme se pratique ici. Prieto part d'une mise au jour des présupposés théoriques de la phonologie pour en tirer des postulats gnoséologiques articulés aux notions de « pertinence » et de « point de vue ». Toute connaissance d'un objet se détermine à partir d'une *pertinence*, qui résulte non de l'objet mais de la façon dont un sujet, en le concevant, cherche à agir sur la réalité. On a vu qu'il ne s'agit pas pour Prieto d'étendre de manière contingente certains concepts à des phénomènes nouveaux. La théorie ne peut être cet escalier de pierres et de nuages que certains prétendent grimper avec agilité. Mais il se refuse aussi au repli sur des savoirs bénins et parcellaires – parti-pris de cloisonnement souvent tenu pour la vertu scientifique suprême. Son épistémologie trouve son point de dé-

part dans la proposition de Saussure : « en linguistique (...) c'est le
point de vue qui FAIT la chose ». À partir de cette thèse sibylline, il
a voulu faire la critique de quatre illusions complémentaires : l'illusion empiriste, l'illusion idéaliste et l'illusion positiviste (idée
d'unification du savoir), mais aussi celle du relativisme subjectif
(qui admettrait la légitimité de tout point de vue quel qu'il soit).

Le modèle linguistique ne sert pas cepen-
dant de passez-muscade analogique ; l'inconscient, « structuré
comme un langage », la pratique sociale « structurée comme un
langage » (17) : le tout est de savoir ce que l'on met dans le mot
« comme » ... Les sciences de l'homme, écrit Prieto, ont toutes
pour objet des structures sémiotiques. « Tandis que les sciences de
la nature ont pour objet la réalité sensible, les sciences de
l'homme ont pour objet les façons de connaître la réalité sensible. » Ainsi se trouve expliqué le rôle de modèle que depuis la « ré-
volution » structuraliste joue la linguistique, rôle toujours allégué
mais rarement légitimé. La notion *d'objectivité* subit alors un renversement paradoxal. Les sciences de la nature selon Prieto ne
peuvent être dites objectives parce qu'elles ne peuvent connaître
leur objet que d'un point de vue déterminé. Les sciences de
l'homme peuvent l'être dans la mesure où la connaissance peut
reconnaître et intégrer son historicité, partant la relativité de son
point de vue, et ceci puisque la pertinence ne vient jamais de l'objet. La réflexion de Prieto aboutit ainsi, du moins provisoirement,
à un criticisme historique qui fonde une théorie des idéologies, en
même temps qu'elle constitue la meilleure synthèse d'une sémiologie générale.

PRIETO ET LE SYSTÈME
SAUSSURIEN

Nous allons mettre en scène, en une petite
narration descriptive inspirée d'exemples dont se sert Prieto dans
sa « sémiologie de la communication » (*1975b*, 15 s.), l'ensemble
des notions élémentaires de la sémiologie, telles qu'il les conçoit.

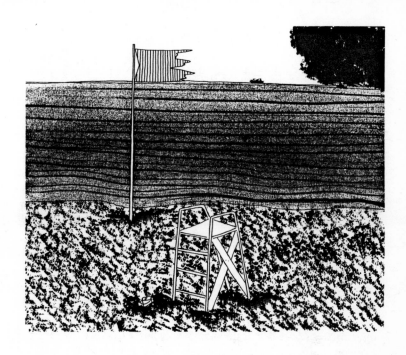

Voici une plage déserte, une mer légèrement agitée, de gros nuages noirs qui s'accumulent à l'horizon, un petit vent qui se lève et fait flotter un drapeau jaunâtre, sale et effrangé, au sommet d'un mât. L'observateur, en tenue de bain, est dans l'incertitude quant à savoir s'il tient vraiment à se baigner. Telle est la Scène sémiotique primitive.

Il serait impropre d'appeler «*indices*» les nuages noirs comme tels ; l'indice est construit comme la classe abstraite des Nuages-Noirs (*indiquant*) corrélative de la classe des Tempêtes-qui-s'annoncent (*indiqué*).

Puis voici le drapeau ; certes il pourrait n'être qu'une garniture, mais isolé comme il est, je l'identifie comme signal (*indication notifiante*) sans que je puisse nécessairement identifier ce qu'il signale (*indication signifiante*), à moins que je n'aie connaissance du *code* institué par les soins du Syndicat d'initiatives.

Le *signal* est un objet matériel avec ses traits particuliers, mais il n'est signal que dans la mesure où il réalise une double abstraction et c'est cette abstraction qu'on nommera *signe* (ou *sème*, pour tout signe autonome, selon Prieto). Pour connaître le drapeau matériel comme appartenant à la classe des drapeaux jaunes (*signifiant*), il faut que j'aie scotomisé toutes sortes de caractères matériels (dimension, saleté, déchirure) pour n'en retenir que le *trait pertinent*, – Jaune. Une telle opération est déterminée par mon *point de vue* (de récepteur de signal et de baigneur potentiel). Selon une autre praxis (celle de l'employé chargé de laver les drapeaux), d'autres classes auraient été conçues (celle des drapeaux sales *opposée à* celle des drapeaux propres, – classes qui du reste cesseraient de considérer le signal comme signalétique et les soumettant au point de vue d'une pratique *utilitaire*).

Le trait pertinent (jaune) n'a cependant pas pour effet de constituer ici une classe définie par des qualités substantielles. Le drapeau peut être jaune paille, jaune canari, caca-d'oie ; il faut et il suffit que la classe des drapeaux jaunes soit *différente* des autres classes possibles formant le *paradigme* du système signalétique (*univers du discours indiquant*). Il suffit, dans le cas présent que la classe des drapeaux jaunes se différencie de celle des drapeaux rouges et de celle des drapeaux verts. La *valeur* du signifiant est le produit de sa différence ; elle n'est que différentielle dans le paradigme. La définition de /jaune/ ne peut donc être que : /ni vert - ni rouge/. (C'est pourquoi dans le cas d'un signal tournant à l'orange, je serai dans l'incertitude de savoir s'il s'agit d'un rouge qui a passé, ou d'un jaune dont les couleurs se sont altérées : premier cas d'un *échec de l'acte sémique*).

La classe abstraite et purement différentielle appelée signifiant n'est telle que parce qu'elle est corrélative d'une classe de messages, appelée *signifié*. Et certes il *faut* qu'il y ait entre ces classes une corrélation univoque sans quoi elles n'existeraient ni l'une ni l'autre : on ne peut concevoir ni une classe de signaux qui ne seraient signaux de quelque message, – ni une classe de messages qui subsisterait sans être manifestée par quelque signal. Ainsi, dans le point de vue où Prieto se situe (qui est aussi celui de Saussure), le *signifiant* et le *signifié* sont bien les « deux faces » d'une seule abstraction : les dissocier serait une pure et simple absurdité.

Sans nier qu'il y a quelque chose de purement axiomatique dans le point de vue saussurien, on voit quel degré de confusion et de faux dépassement atteignirent ces philosophes de la mode structuraliste, de Lacan à Barthes, en parlant du « signifiant » comme d'une réalité isolée, en quête de signifié. Les « théoriciens » qui dissocient le signifiant du signifié, qui insistent sur la « coupure » entre les deux, s'efforcent certes de dire quelque chose, mais quelque chose qui, dans les termes de la systématique saussurienne n'a *aucun* sens, puisque la proposition sur le « caractère labile » du signifiant en contredit l'essentiel. Non qu'on ne puisse critiquer le Saussure du *CLG*, ou se placer d'un point de vue qui serait d'emblée étranger à sa réflexion. Mais prétendre se placer sous la caution de Saussure, puis se servir à contresens de termes qu'il avait définis, il y a là bel et bien une imposture, très probablement accompagnée d'une lecture hâtive et confuse du *CLG*. (Qu'on m'entende bien : je ne crois pas qu'il y ait une vertu épistémologique dans la *fidélité*, mais il me semble qu'il a quelque culot à se réclamer hautement de Saussure tout en altérant son système d'une façon qui semble trahir plus la confusion mentale que signaler une critique conséquente.)

On appellera *signe* la corrélation même établie entre les classes *signifiant* et *signifié*, ces classes n'étant définies que par leurs différences dans leurs paradigmes respectifs. Si nous disons le signe *arbitraire*, ce n'est aucunement pour le dire « sans rapport naturel avec son objet » – car le signe n'a *pas* d'objet, étant corrélation entre classe de signaux et classe de messages. Le signe est arbitraire par opposition à la conception que nous avons eue de l'*indice*, où le rapport indiquant/indiqué est conçu comme le produit d'un continuum naturel selon la relation cognitive « partie perceptible *valant pour* totalité non perçue ». Le signe est arbitraire en ceci qu'on ne conçoit pas ce rapport naturel et nécessaire entre le signifiant et le signifié. Nous pourrions cependant le dire arbitraire de deux autres manières : 1) en ceci qu'il est *conventionnel*, en tant qu'*institution* sociale (mais c'est ici sortir du point de vue sémiotique) ; 2) en tant qu'il est différentiel, c'est-à-dire que la corrélation s'établit entre des classes dont le nombre et la disposition paradigmatique n'ont rien de nécessaire.

        Il est en effet grand temps de dire ici quels sont les *messages* transmis par les signaux. Le code, dû à l'ingéniosité de la Chambre de commerce, tient compte de l'état de la mer et des heures de service des maîtres-nageurs pour aboutir à trois classes de messages :

S^a		$S^é$
Rouge	. . . .	baignade interdite
Jaune	. . . .	baignade non surveillée
Vert	. . . .	baignade permise et surveillée

        Ces trois classes résultent de la superposition de deux alternatives cognitives pertinentes au point de vue, bienveillant et touristique, de la Chambre de commerce : « maître-nageur à son poste *vs* maître-nageur absent » ; « mer calme *vs* mer agitée ». Ce système de classement « est logiquement antérieur au classement que suppose l'indication » (*1975*b, 21). Notons en passant que les deux alternatives cognitives ne sont pas « naturelles » : il n'est pas de « mers agitées » dans l'absolu ; l'agitation de la mer n'a de sens que par rapport aux risques de la baignade. L'acte de *différence* ne s'inscrit sur le monde que parce qu'un point de vue particulier conçoit ici une alternative pratique. Il ne se prête aucunement à des conjectures métaphysiques.

De même que le signal est la manifestation concrète et idiosyncratique du signifiant, de même le signifié n'est pas le *message* : nous appellerons « message » chaque occurrence d'influence signalétique opérée par le signal sur un destinataire concret. On sait qu'il est des baigneurs qui adorent les mers agitées et leurs dangers : pour eux le drapeau rouge incitera à plonger ... Mais cet « effet perlocutoire » n'altère aucunement le *signifié* comme classe abstraite. La grande mise entre parenthèses saussurienne consiste à exclure de (la sémiologie et de) la linguistique générale tout ce qui traite des DEUX PÔLES CONCRETS de l'opération de « communication » : le signal matériel d'une part et le stimulus particulier reçu par un individu donné, d'autre part :

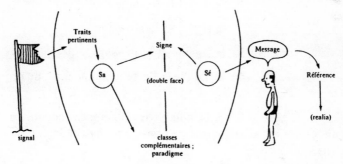

La perspective propre à la linguistique de Saussure, *c'est* cette mise entre parenthèses, *c'est* cette forclusion du *signal concret* (la phonétique est rejetée hors de la linguistique, mais la phonologie, science du paradigme différentiel du signifiant, s'y inscrit) et du *message concret* (psycholinguistique, sociolinguistique, herméneutiques diverses)[1]. La référence, en tant que « projection mentale » sur un segment du monde, est elle aussi forclose du linguistique/sémiotique. Celui-ci n'a affaire qu'à un ensemble corrélé d'abstractions différentielles, et c'est, selon les points de vue, sa force ou sa faiblesse... .

1. Il faut se rappeler cependant ici à quel point la référence psychologique est expressément formulée dans le Saussure-du-*CLG* : « Au fond, tout est psychologique dans la langue » (21), « les deux parties du signe sont également psychiques », etc.

Le paradigme du signifié (il n'est rien qu'on puisse nommer, sans absurdité, « paradigme du signe ») construit un *univers du discours* lequel est *isomorphe* à la manière dont un segment du monde est connu. L'univers du discours propre aux langues naturelles semble donc ainsi avoir pour référence globale le Monde connaissable – toute la difficulté provenant de ce qu'on décide de mettre dans « le Monde ».

Il y a eu certes des critiques *conséquentes* du Saussure du *CLG*, du Mikhaïl Bakhtine à Pierre Bourdieu (*le Sens pratique*). On a le regret de constater cependant qu'à travers les imprécisions du « texte fondateur », on pourrait dresser surtout le bêtisier des nombreuses « réinterprétations audacieuses » de Saussure qui reviennent simplement à confondre :

1. le signal et le signe

2. le signal et le signifiant

3. le signifié et le message

4. le signifié et l'acte psychologique de référence.

5. le signifié et les différences cognitives présémiotiques qui déterminent ce dont l'émetteur d'un énoncé « veut parler ».

6. la valeur et la signification

7. l'indication notifiante et l'indication signifiante

8. le signifié et des objets concrets auxquels pense l'émetteur d'un énoncé déterminé.

La seule façon possible de critiquer Saussure, est de prendre en *bloc* son système et la forclusion qui l'instaure. Mais ceci présuppose qu'on en a compris la logique interne[2].

---

2. Autre confusion constante depuis vingt ans et plus : celle de diachronie identifiée à devenir historique et synchronie, à moment de la temporalité réelle. Dans tous les cas, confusion de la carte et du terrain.

Notons en tout cas qu'en suivant Saussure et quelque bien que l'on puisse penser des vertus méthodologiques de cette forclusion, on a coupé le signe des formes concrètes de l'interaction sociale et des aléas de la praxis instituant la signalisation. Encore ne s'agissait-il pourtant avec l'exemple développé plus haut, que de considérer un système très rudimentaire et très « innocent ».

L'INDICATION CIRCONSTANCIELLE

Il faudrait dire un mot ici de ce que Prieto nomme *l'indication circonstancielle*. Le drapeau rouge ne communique un message que dans un milieu, un entourage déterminé : hissé à un mât, sur une plage, proche de la mer, il « veut dire » : baignade interdite. Dans le cas d'un système sémiotique axiomatiquement lié à un entourage déterminé, comme ici, le signal en dehors de cet entourage ne signifie plus rien du tout. Si j'enlève le drapeau et le dépose dans ma chambre d'hôtel, il ne communique plus « défense de se baigner » (dans la salle de bain ?) ; il ne communique, ne signale plus rien. Cette notion *d'indication circonstancielle* montre que les *circonstances* d'émission d'un signal ne sont pas un élément adventice, secondaire, ancillaire dans le procès de communication (à cet égard, l'adjectif « circonstanciel » peut tromper) : les circonstances, déterminées sous forme axiomatique, font partie intégrante de la semiosis. La classe formant le signifiant n'est donc pas Drapeau-Rouge comme trait pertinent dans le paradigme mais D.R. dans telle circonstance axiomatique-déterminée. Ici le recours à un système pauvre et stable comme un système conventionnel de drapeaux a une grande valeur critique si l'on s'en sert pour interroger les philosophies linguistiques. À la façon du drapeau, il y a des circonstances extra-linguistiques, où un mot, un énoncé ne font aucun sens. Sans doute le lexique d'une langue naturelle est fait de mots

qui, en principe, peuvent paraître dans toutes les circonstances :
je peux énoncer /i l a r i:v/, en pensant poétiquement à la venue
du printemps, en faisant le pied de grue à l'arrêt de l'autobus, en
prophétisant la venue du Paraclet... Mais cela, c'est en principe
seulement. La notion *d'indication circonstancielle* marque nette-
ment qu'une sémantique non réductrice est inséparable d'une
pragmatique, laquelle renverrait à une prise en considération globale des réseaux du discours social dans un état de société. Contre
toute formalisation immanente du signe linguistique ou sémiotique, il faut donc rappeler que le signe n'opère selon son code et
ses fonctions que dans des « circonstances » données.

OBJECTIONS À PRIETO : LA COMMUNICATION COMME CRITÈRE AMBIGU

Selon Prieto qui se situe bien ici dans la filiation Saussure-Hjelmslev-Buyssens-Martinet, la tâche primor-
diale, sinon l'objet exclusif de la sémiologie est de construire une
théorie des « systèmes de communication », laissant dans un *ailleurs* ou dans un *après* l'étude d'un reste dénommé « faits de signification ». Sans doute pourrait-on discuter de la justesse de cette
stratégie scientifique, qui assigne comme point de départ à la réflexion le modèle des langages articulés, si la catégorie de la *communication* était congrûment définie.

À aucun moment je ne trouve chez Prieto
ni chez quiconque un critère fixe et satisfaisant qui me dise ce
qu'est la *communication*, ni, dès lors, la liste exhaustive des actes
signifiants qu'elle inclut. Je comprends mal d'abord pourquoi aucune différence n'est établie entre les systèmes sémiotiques à sens
unique (les signaux routiers, où le destinataire ne saurait « communiquer » avec l'émetteur en utilisant le même système que lui)
et ceux à « dialogues ». Je comprends mal pourquoi « la gesticulation verbale de l'acteur du théâtre Stanislavski » (exemple de R.
Jakobson, repris par Prieto, *1975*[b], 11) n'est *pas* communication ?
Pourquoi, autant que j'en puisse juger, notre photo de pin up
n'est pas, à ses yeux, un moyen de communication ? Saussure in-

cluait il est vrai dans « sa » sémiologie, ou plutôt dans les réflexions bien peu théorisées qu'il avait laissé tomber devant son
auditoire à propos d'*une* sémiologie, « les rites symboliques »,
« les formes de politesse » : ni la notion d'arbitraire ni celle de
communication n'y semblent très évidentes. Je me rends seulement compte qu'inclure ces faits dans une définition large de la
pratique communicative provoquerait une remise en question de
toutes les constructions théoriques tirées d'un modèle restreint de
la communication[3].

　　　　　　　Je crois avec Prieto qu'en effet, le seul objet
possible de la sémiotique est une science historique et sociale des
façons de connaître et de représenter le connu, et que ces façons
de connaître sont toujours « attachées à une fonction », à une
praxis. Mais isoler, selon une définition équivoque, les fonctions
communicatives ne peut s'opérer qu'en raison d'une philosophie
contestable de la pratique linguistique, étendue de façon restric-
tive à d'autres praxis qu'on dit lui être analogues. À mes yeux, il y
a certes bien des différences entre l'usage de la parole et les significations portées à la scène, dans la gestuelle sociale, dans l'image,
dans la peinture, au cinéma, – mais ces différences ne s'inscrivent
pas clairement dans une opposition communication/
signification, laquelle n'est jamais construite de manière inconte-
stable et qui n'est, en fin de compte, qu'un fétiche des philosophies
linguistiques. Prieto dit fort bien, dans l'introduction de *Pertinence et pratique* qu'une sémiologie de la signification en général
s'identifierait aux sciences humaines, aux sciences qui étudient les
façons dont les hommes, en société, connaissent le monde selon
leurs praxis. Mais, outre que les sciences humaines (telles que
nous les connaissons) n'appliquent guère ce programme, on ne
voit pas laquelle d'entre elles prend en considération ce que nous
nommons des *simulacres* de façon tant soit peu satisfaisante. Il y
a là quelque chose de singulier : chacune des sciences humaines
sectorielles a montré au cours de son développement un énorme

---

3. On trouvera ailleurs qu'ici des critiques de ce fétiche épistémique de la *Communication* linguistique ; chez L.-J. Calvet, *1975*, notamment d'un point de vue différent du nôtre – point de vue axé sur une prise en considération des éléments *in-
conscients* de l'activité « langagière ».

appétit, elle a maximalisé son champ d'intervention. Il n'y a que
le sémioticien qui semble avoir toutes les peines du monde à situer
sa pertinence et il n'y a guère que chez les sémioticiens qu'on rencontre des chercheurs soucieux de ne pas aventurer le bout de
l'orteil dans l'océan de la signification et de rester sur le rivage
« communicationnel » éclairé du phare rassurant du Modèle linguistique.

Quant à la liaison qui serait à établir entre
faits de communication – systèmes à signes arbitraires – systèmes
à code *fini*, elle me paraît résulter d'une cascade de malentendus,
où plutôt de déplacement du même fétichisme linguistique entraînant des malentendus successifs. Nous y reviendrons donc à plusieurs reprises et sous divers points de vue.

Dirais-je qu'il y a *deux* Prieto ? L'un s'efforce de rendre raison (et brillammment) du fonctionnalisme
saussurien, d'en tirer la version la plus logique, la plus sensée sans
en critiquer la « philosophie » étroite et si visible ; l'autre dit et re-
dit que « l'étude des faits sémiotiques est l'étude (...) des connais-
sances réelles que des groupes humains ont construites (...) et (...)
des formes qu'a prise la praxis des hommes » (*1975b*, 12). Il me
semble que le second est entravé par les fétiches et les « taches
aveugles » que comporte la première démarche. *D'autant plus vi-
siblement* qu'après avoir éliminé les interpolations du *CLG*, resti-
tué une cohérence à des propositions que Saussure même avait
développées dans un langage hésitant, pourchassé les réinterprétations psychologistes de « Saussure », Prieto rend particulièrement visible ce qui chez d'autres théoriciens est offusqué par des
malentendus primaires. Et j'écris « Saussure », parce qu'il est évident que le non-auteur du *CLG*, même rétabli par Engler, n'a pas
grand chose à voir avec l'auteur des cahiers sur les *Niebelungen* et
sur les vers latins et que nul ne saura jamais quel statut préliminaire le professeur de linguistique générale à Genève a conféré
aux axiomes *simples* qu'il énonçait et qui, – quelque part dans une
filiation tardive du vieux rationalisme de Condillac, – devait (lui)
permettre d'en déconstruire un jour la transparence.

L'INCERTITUDE DU DESTINATAIRE

Qu'est-ce donc que la communication (au moyen de signes arbitraires) chez L. Prieto ? Voici un particulier qui se promène sur une plage et se promet de s'y baigner. Cet individu, si l'on en croit Prieto, « se trouve dans une certaine incertitude quant à ce qui passe » dans ce segment du monde auquel correspondra « l'univers du discours indiqué ». « Cela suppose que le sujet distribue les objets de cet univers (...) en deux ou plusieurs classes. » L'indice, naturel ou intentionnel, le plus adéquat sera celui qui viendra réduire le mieux ce champ d'incertitude.

Le destinataire est, selon Prieto, dans un « état d'incertitude » quant au segment du monde où il cherche à opérer. Sans vouloir conférer une remotivation psychologique à cette « incertitude » que l'opération signalétique permettra de réduire (ni prêter à Prieto une naïveté qu'il n'a pas), on voit cependant qu'elle présuppose comme une harmonie préétablie entre l'émetteur du signal et son récepteur, que c'est à ce prix qu'on peut parler de communication comme la rencontre inattendue de deux intentionnalités dans des praxis complémentaires, – celle du gendarme qui a fait poser le signal routier et celle de l'automobiliste qui le reçoit[4]. Prieto qui, par souci pédagogique, se sert souvent des signaux routiers, me semble toujours omettre le *gendarme* et se créer un monde où des « sujets » indéfinis réduiraient réciproquement leurs champs d'incertitude en intervalidant leurs classements cognitifs. Un modèle pauvre peut être un modèle utile, s'il n'élimine pas des données *irréductibles* : ici l'harmonie préétablie que suppose la « communication » me semble un forçage plus qu'une simplification heuristique.

---

4. « Les signaux sont des faits produits expressément pour qu'ils fournissent les indications ... » (Prieto, *1966*, 41). Un signal est un indice « conventionnel (...) reconnu par le récepteur comme un moyen » (Prieto « Sémiologie », *Pléiade*).

L'ARBITRAIRE DU SIGNE

Luis Prieto élabore sa théorie sémiotique à partir de l'opposition entre les catégories de l'*indice* et du *signal*. L'approche de Prieto est strictement indépendante de la nomenclature ternaire (indice/icône/symbole) attribuée à Peirce et reprise par une partie de la sémiotique anglo-saxonne. Le problème auquel Prieto fait face est celui de rendre raison, de façon moins ambiguë que dans le texte du *CLG* et que dans la tradition saussurienne en général, du caractère *arbitraire* du signe[5].

En bon saussurien, partant du principe selon lequel « un mot [et un concept] ne va jamais seul », Prieto cherche à définir l'*arbitraire*, non pas intrinsèquement ou substantiellement, mais de façon différentielle, dans un opposition arbitraire : lien naturel : : signe : indice. Autrement dit, la classe des signaux arbitraires s'opposera dans une dyade conceptuelle, à la classe des indices « naturels ». Ceci revient à dire encore que l'arbitraire du signe sera simplement conçu comme le contraire de ce *lien naturel* qui existe entre l'indiquant et l'indiqué de l'*indice*.

Ainsi, Prieto n'a recours à un développement sur l'*indice* que pour n'avoir pas à conférer un caractère immanent à *l'arbitraire* comme le propre de la classe des signaux. Cela lui permet également de n'avoir pas à définir l'*arbitraire du signe* par une référence à la psychologie (*intentionnalité* du locuteur) ou à la sociologie (arbitraire étant synonyme de convention sociale).

S'il est exact que Prieto ne part pas d'une tripartition philosophique à la Peirce, et n'a donc pas à considérer la question de la classe prétendue des icônes, il n'en reste pas moins que son cadre ne lui permet aucunement de situer ces faits de signification qui s'expriment dans des images, des peintures, des sculptures, des photos, – qu'ils constituent ou non pour lui une tierce classe et qu'ils se déterminent ou non par un « rapport

---

5. E. Buyssens avait pour sa part opposé deux catégories de signes, selon que le rapport entre S^a et S^e était « arbitraire » ou « intrinsèque » (terme sûrement plus heureux qu'« analogique ».)

d'analogie ». On peut dire simplement que chez Prieto, la question ne sera pas posée. Autrement dit, Prieto décrit d'autant plus adéquatement la classe des signaux *par opposition* à celle des indices « naturels », qu'il élimine de sa réflexion d'autres faits de signification (dont on ignore si pour lui, ils existent indépendamment, ou constituent plusieurs catégories, ou Dieu sait quoi...)

CRITIQUE DU « LIEN NATUREL »

L'opposition construite par Prieto entre les faits indiciels et signalétiques (ou sémiques) n'est pourtant pas sans faire problème. En effet, dans le cas de l'indice, les classes de l'indiquant et de l'indiqué peuvent être décrites de deux façons, selon qu'on les perçoit : a) du point de vue des opérations cognitives, ou b) du point de vue du monde empirique en lui-même. S'il s'agit d'opération cognitive, la classe des Nuages-noirs-à-l'horizon, *indiquant* (constituée par la synthèse d'expérience successives et dissemblables de l'observateur) est évidemment *construite* par lui dans la logique d'une proposition probable d'expérience, laquelle énonce une relation de précession temporelle avec la classe des Orages-et-tempêtes, *indiqué*. On ne peut pas parler ici d'un lien naturel entre l'*indiquant* et l'*indiqué* ; en tant que classes épistémiques, ils appartiennent à un énoncé de cooccurrence, cet énoncé construisant l'idée même d'un « lien naturel » entre les phénomènes. Si par contre on se place dans la réalité transphénoménale, alors le rapport entre nuage et tempête peut, certes, être dit *naturel*, mais avec cette réserve que ce n'est plus un rapport du tout ! Dans le monde empirique, il n'existe aucun *rapport* entre les nuages noirs-à-l'horizon et la tempête-à-venir, parce que les nuages-noirs ne sont pas différents de la tempête, ils *sont* la tempête, ils ne sont qu'une partie, – immédiatement perceptible à un observateur dans un temps et un lieu donné, – de la tempête. Ainsi, en termes météorologiques, il y a en effet un *continuum* et de ce seul fait, il n'y a pas de « rapport », de « lien » entre des classes de phénomènes : il n'y a qu'un seul phénomène. Par contre, du point de vue gnoséologique, il y a un rapport construit par le sujet connaissant, mais ce rapport n'est pas naturel, c'est l'opération connaissante même qui produit l'idée d'un « rapport naturel », qui appelle « naturelle » une probabilité de ce genre.

DES INDICES « ARTIFICIELS » ?

Prieto se dirige alors insensiblement, à partir de cette conception de l'indice, vers ces « choses » que sont des « indices spontanés mais artificiels » (lunettes/trouble de la vue) ; il y conserve l'idée d'*indice* en ceci seulement qu'on conserve un rapport de contiguïté logique construit : « partie perceptible *valant pour* totalité non perceptible », mais on perd évidemment de vue l'ambiguïté du caractère naturel attribué à l'indice. Bien plus, on tendra ici à réintroduire une *intentionnalité* sociale, dans la mesure où, insensiblement encore, on se rapproche du signal arbitraire (canne blanche/cécité). On devra dire que des lunettes ne constituent pas un « simple signal » en ceci que leur efficace primaire n'est pas de l'ordre de l'indication, mais d'un ordre d'opérations utilitaires (correction médicale de troubles visuels), et ne possède qu'accessoirement et subsidiairement un caractère d'indication. Mais arrivés à ce point, notre position est fragile et justement fort arbitraire, au sens banal de ce mot.

On se trouve devant cette autre difficulté que le signal ne semble au bout du compte pouvoir être défini que de façon négative, par le fait qu'on ne peut assigner au phénomène aucune autre fonction opératoire que celle d'*indiquer*, c'est-à-dire comme si l'acte d'indiquer devait nécessairement être identifié par l'élimination de tout autre caractère opératoire concevable du phénomène observé. On dira ainsi qu'une canne est une *indice*, en ceci que sa fonction opératoire primaire est de « s'appuyer dessus », et sa fonction indiquante, accessoire, ancillaire et non intentionnelle, de produire une indication, dans la relation construite par l'expérience « canne/trouble de la marche ». Au contraire, on dira qu'une *canne blanche* (ou pour être exact la classe « blancheur » de la canne blanche) est un *signal*, parce que la relation différentielle « blancheur », dans l'ensemble des couleurs de cannes, n'a aucune autre fonction opératoire concevable que celle de signaler la cécité.

LE SIGNIFIÉ COMME CATÉGORIE D'INFLUENCE

Prieto a recours au problème du mensonge, non pour dire que le nuage noir ne peut « mentir » sur son indication dans les conditions normales où il est perçu, mais pour dire que le *signifié* du signe ne correspond pas à une catégorie du monde, mais à une *catégorie d'influence* conçue par l'émetteur et décodée par le destinataire. Ainsi, dit-il, le bruit de la pluie sur le toit *indique* l'existence au dehors du phénomène « pluie ». Mais l'énoncé « il pleut » a pour signifié non la classe des phénomènes réels identifiés comme « pluie », mais la classe des influences de locution (honnêtes ou mensongères) exercées par le locuteur sur l'allocutaire lorsqu'il veut lui donner à savoir qu'il pleut. Il ne fait pas de doute que l'intention de Prieto ici, soit de sortir élégamment de la naïveté épistémique d'Hjelmslev, ou l'accrochage *forme du contenu/forme de l'expression* est un pur coup de force : il n'est pas de *lieu* où [il plœ] s'attache, se relie, se réfère, indique, se substitue à, vaut pour le phénomène de la pluie ; ni même pour la classe construite, comme « forme du contenu », des phénomènes pluvieux. Cette manière de se dépêtrer d'Hjelmslev a pour effet : 1) de permettre une critique rapide du faux problème signifiance/référence, 2) de déplacer le problème de la manière dont le monde naturel est connu à une opération connaissante présignalétique dénommée par L. Prieto « système d'intercompréhension ». Il est vrai et illuminant de remarquer que « la communication suppose que le sens de l'acte sémique est conçu deux fois. Une fois en tant que membre d'une des classes composant le système d'intercompréhension [*système de classement auquel se réfère l'émetteur pour déterminer ce qu'il veut dire*] et une autre fois en tant que membre du signifié du signal ». (*1975b*, 58)

CRITIQUE DE L'ARBITRAIRE DU SIGNE

Si, abandonnant la classe des indices dont on a vu par quelles opérations ambiguës elle offrait au concept d'*arbitraire* la contrepartie du *lien naturel*, on passe à la réflexion sur l'arbitraire du signe comme tel, on remarque que cet *arbitraire* est conçu deux fois, ou pour être précis que le mot est appliqué par les linguistes à deux endroits, qu'il tend à être appliqué à *deux* caractères axiomatiques de l'opération signalétique.

A) L'un revient à dire que le signe est arbitraire en ceci que la relation entre la classe des signaux (signifiant) et la classe des messages (signifié) est arbitraire, c'est-à-dire désormais rien d'autre que non inscrite dans un *continuum naturel*. B) L'autre manière de dire le signe arbitraire, revient à appliquer ce mot à son caractère différentiel dans le *paradigme du signifié*, c'est-à-dire à poser que le « découpage du réel » en /mutton/vs/sheep/ par exemple n'a rien de naturel ni de nécessaire.

Cette conception seconde de l'arbitraire du signe est latente dans le texte du *CLG* et a fait l'objet de diverses polémiques, aggravées du fait que certains esprits ont pu concevoir que l'arbitraire : 1) est déterminé par l'arbitraire, 2) ou du moins que l'un n'est pas sans rapport à l'autre. Or ici, nous nous retrouvons dans de possibles confusions. D'abord l'emploi ci-dessus de « découpage du réel » n'est pas acceptable, si nous avons renoncé au modèle hjelmslevien, mais, faute de référence au « réel », l'existence même ou la raison d'être ou encore les conditions d'émergence de l'opposition *mutton/sheep* ne reposent plus sur rien. Autrement dit, on peut encore dire que dans « la langue il n'y a que des différences », mais l'on s'interdit de dire sur quoi opèrent ces différences, pour éviter l'aporie métaphysique qui guette toute invocation du « réel » tel qu'il serait structuré antérieurement à la façon dont il est connu.

Il faut donc dire que les signes linguistiques et les oppositions qui les produisent fixent ou reflètent la manière dont le sujet linguistique connaît le monde, mais que rien ne peut être dit du monde antérieurement/transcendantalement à la manière dont le sujet linguistique le connaît. Cela ne va pas non plus. D'abord le « sujet linguistique » est une fiction (grammaticale et) idéologique créée par la catégorie d'opérations appelées paradigmes des langues naturelles. D'autre part, la manière dont *on* connaît linguistiquement le monde présuppose (en bonne logique et de toute autre manière) une manière antérieure, prélinguistique, de connaître le monde. Autrement dit, il n'y aurait pas de différences constituant les langues « naturelles » et les autres systèmes sémiotiques fondés sur l'arbitraire du signe, s'il n'y avait un état antérieur de la différence non inscrite dans une opération signalétique à double face.

HISTORICITÉ DES SYSTÈMES LINGUISTIQUES

Les différences sémantiques d'une langue donnée n'ont pas grand chose à voir avec la façon dont le sujet empirique dans le monde réel « d'aujourd'hui » connaît le monde. Les systèmes linguistiques sont des systèmes à transformations historiques lentes et qui ne reflètent aucunement l'histoire des façons successives dont les générations et les groupes parlant une « même » langue ont connu le monde. D'autre part, ce caractère de décalage historique et d'entropie relative des différences sémantiques permet ambigument au « sujet parlant » de traiter sa langue comme une contrainte historiquement motivée modelant la façon dont le monde sera connu à un moment donné et, à l'occasion ou concurremment, comme un pur instrument transitif, démotivé et malléable (arbitraire ici dans un troisième sens possible) par lequel dans son historicité propre, dans sa praxis de classe spécifique, le sujet historique concret connaît le monde. Dans cette remarque s'inscrivent les éternels débats de philosophie linguistique et épistémique – hypothèse de Lee-Whorf, théories de Marr, métaphysiques de l'origine de Rousseau à Derrida, *e tutti quanti.*

Ceci revient à rappeler cette banalité pleine de conséquences, que si l'Anglais possède l'opposition «*mutton/sheep*», et le Français ne dispose que de la neutralisation « mouton », ceci ne doit pas exclure la possibilité que les Français réels, dans la manière dont ils connaissent le monde, font une différence, déterminée dans leur *praxis*, entre un mouton qui court dans le pré et un gigot d'agneau.

LES LANGUES NATURELLES COMME MODÈLES INADÉQUATS

Cette banalité nous conduit à quelque chose, c'est qu'en raison de l'historicité ambiguë des prétendues « langues naturelles », en raison du caractère de contrainte relative et de démotivation relative de leurs différences sémantiques, celles-ci constituent un très mauvais point de départ pour construire une sémiologie, pour généraliser à partir de leur sémiosis les « autres » faits de signification.

Les langues naturelles et leurs modèles linguistiques quels qu'ils soient (avec les impensés métaphysiques qu'ils comportent tous, de Saussure à Chomsky) constituent même le pire point de départ possible : 1) *soit* pour étudier les petits systèmes signifiants réellement conventionnels (au sens explicite), à opérativité limitée et à historicité nulle, comme les drapeaux sur une plage, les signaux routiers, les uniformes militaires, etc., 2) *soit* pour étudier les faits de signifiance à haute détermination socio-historique en contemporanéité et notamment tous ces « domaines » ambigus épistémologiquement que sont les faits de « sémiotique textuelle » de « sémiotique de l'image » de « sémiotique de la mode », etc. Non seulement c'est un mauvais point de départ parce que l'étude des modèles linguistiques porte avec elle, avec un degré élevé de dénégation, l'historicité ambiguë des langues naturelles, mais aussi parce que le modèle linguistique ne peut qu'aboutir à masquer le problème posé par cette hypothèse, évoquée plus haut, de « différences cognitives » nécessairement antérieures à leur transcription en « différences signalétiques ».

PARADIGME DU SIGNIFIÉ ET
DIFFÉRENCES COGNITIVES

On pourrait dire alors que L. Prieto a été bien inspiré, au premier chapitre de *Pertinence et pratique*, de prendre pour premiers exemples et base de sa structuration théorique, toutes sortes de petits systèmes comme les signaux routiers, les numérotations de chambres, plutôt que des « faits de langues » tels que les linguistes les simplifient ordinairement pour les besoins de leurs démonstrations. Je crois en effet que son point de départ est bon, mais qu'il ne tire pas les conséquences de certaines données inscrites dans ses exemples et je crains que d'autre part il vise, – à travers l'idée d'*arbitraire* qui est au centre de son illustration, – à produire une fiction didactique valant pour les langues naturelles, celles-ci étant seulement plus complexes que les systèmes à trois drapeaux sur une plage, ne serait-ce qu'à travers les traits axiomatiques de : 1) la double articulation produisant un *paradigme phonologique* en décalage avec le paradigme sémantique ; 2) de règles complexes d'ordre syntagmatique produisant une structuration en monèmes et coïnterprétances. Or, je crois que les petits systèmes clos et anhistoriques comme le cas des trois drapeaux destinés aux baigneurs sur une plage, présentent des différences de nature axiomatique avec le cas des codes linguistiques, y compris quant à la définition de l'arbitraire dans les deux cas ; que d'autre part, la critique de ces exemples permet de faire voir ce que les modèles linguistiques dissimulent et ce que les modèles sémiotiques inspirés de la réflexion linguistique dissimulent encore plus vigoureusement.

Première constatation que je ne développerai plus, les drapeaux sur une plage ne constituent un système de communication que si on appelle communication une opération à sens unique où l'émetteur est toujours le même et où l'allocutaire ne peut répondre à l'émetteur, c'est-à-dire, ne peut transformer celui-ci en allocutaire, en utilisant du moins les mêmes signaux que lui. Autrement dit, le baigneur n'utilise pas à son tour les drapeaux pour faire connaître au Syndicat d'initiative ce qu'il pense des messages que celui-ci lui adresse. Ce seul trait suffit à montrer que dans l'ordre des règles d'énonciation les drapeaux sur la plage ou les signaux routiers ou les numéros de chambre d'hôtel présentent avec les systèmes linguistiques une différence de nature et non de degré. Mais en outre, le système des drapeaux est anhistorique (*en tant que système*, non en tant que décret instituant le système évidemment : il a été créé par la Chambre de commerce en 1954, disons). Du fait qu'il est sans diachronie, LES DIFFÉRENCES INSTITUANT LES CLASSES DE SIGNAUX ET LES CLASSES DE MESSAGES SONT IMMANENTES OU CŒXISTENSIVES AUX OPÉRATIONS PRAGMATICO-COGNITIVES CONÇUES PAR LADITE CHAMBRE DE COMMERCE. Or, ce qui trouble essentiellement les modèles linguistiques c'est la non-concordance entre les contraintes différentielles déposées par la durée historique dans les « langues naturelles », et les opérations cognitives et communicatives conçues par un locuteur spécifique ou un groupe de locuteurs dans leur historicité propre. Il faut rappeler ici que cette « non-concordance relative » n'aboutit jamais à une transivité opératoire pure (qui ferait de la structuration linguistique le « pur » moyen transitif d'opérer et de communiquer une différence conçue dans une pratique déterminée et en fonction d'une certaine façon de connaître le monde). De là vient la possibilité pour les langues de connaître des manipulations esthétiques ou rhétoriques visant notamment à subvertir le caractère purement différentiel et purement arbitraire des signes linguistiques. Il n'y a pas d'esthétique du système des drapeaux, parce que ce système n'acquiert pas de marques de l'historicité (ceci comprenant des déficits de fonctionnalité) ; autrement dit, le système est immanent dans ce cas à la praxis qui l'a institué[6].

Ce qui caractérise enfin les systèmes conventionnels comme notre jeu de drapeaux est qu'ils n'ont pas de syntagmatique (qu'ils sont réduits à cette règle syntagmatique

---

6. « Immanent à la praxis » à deux réserves près, qui ne changent pas grand chose mais qu'il faut noter, puisqu'on cherche à être minutieux : a) la praxis signalétique subit au moins une contrainte qui semble relever d'un principe éternel de l'épistémologie : «*entia non sunt multiplicanda praeter necessitatem*». Le Rasoir d'Occam s'applique ici au fait qu'il n'y a que *trois* classes de drapeaux et non 84. Ceci n'est certes pas une contrainte imposée par « le monde », mais est dû à un principe général d'économie, lui aussi d'origine pratique, dans l'*art* de signaler ; b) l'institution des drapeaux possèdent tout de même un embryon d'historicité, dans les conventions (occidentales) de la signalisation. Le rouge pour « baignade interdite » n'est pas aléatoire.

unique : pas plus d'un drapeau à la fois) ou une syntagmatique rudimentaire où le sème complexe est bien UNE SIMPLE ADDITION LO-
GIQUE des monèmes qui le composent. Ici encore, aucun rapport
avec l'interprétance linguistique où les ensembles complexes
(comportant des éléments latents présupposés et interdiscursifs)
spécifient la valeur contextuelle de chaque unité signifiante. La signifiance discursive n'est pas additionnelle ; elle est la diffraction
sur les unités successives de préconstruits idéologiques globaux.

SEMIOSIS ET POUVOIR
D'INSTITUTION

Passons maintenant à certaines choses que
l'exemple des drapeaux laisse apparaître et que les modèles linguistiques cachent et ne peuvent manquer de cacher.

« La mer est agitée *et* le drapeau est rouge »
(voilà un alexandrin à la Coppée) : – il n'y a évidemment aucun
lien direct entre ces deux phénomènes, le drapeau rouge ne *parle*
pas le monde, il ne signale rien que viendrait du monde comme
tel. Le signifié n'est pas une référence. Le drapeau rouge, appartenant à la classe abstraite des drapeaux rouges, détermine une catégorie d'influence exercée sur le baigneur, en entendant par là
non pas un baigneur spécifique – qui fera ce qu'il voudra, selon
qu'il est bon nageur ou qu'il aime les tempêtes, – mais un *destinataire idéologique* construit par l'opération signifiante elle-même.
Autrement dit, l'opération « hisser le drapeau rouge » ne produit
pas seulement un *message* pour le récepteur qui « possède » le
code, elle produit et engendre le récepteur même, le « baigneur
idéologique » en tant que classe de destinataires ; pour pousser un
peu, elle engendre non seulement du sens, mais du pouvoir. Pour
pousser un peu plus encore et appliquer une mauvaise volonté
gauchiste à cette apparition du drapeau rouge comme signal tou-
ristique, le baigneur concret peut se rebeller contre le type d'influence que le paternalisme de la Chambre de commerce lui fait
subir, mais toute rébellion s'inscrit dans la mouvance d'une reconnaissance, de la constitution d'un sujet idéologique. Première
conclusion : l'opération signalétique n'aboutit pas seulement au

transit d'un *signifié*, d'une classe de messages, mais aussi et du même coup, à la constitution d'un destinateur et d'un destinataire qui ne préexistaient pas en tant que tels à ce système et à ses performances. Voilà le premier élément négligé : l'énonciation n'est pas un problème marginal à l'analyse des énoncés, ils sont immanents l'un à l'autre.

Mais le deuxième occulté ? Eh bien, cela nous oblige à nous poser, mais dans le concret le plus anecdotique, la question métaphysique de l'Origine ... Les gens de la Chambre de commerce ont un jour décidé d'un système à trois drapeaux, rouge, jaune, vert – à installer sur la plage. Mais quel « savoir », quelle « intentionnalité » quelle expérience collective préexistait à cette installation ? Les classes « baignade permise », « baignade non surveillée », « baignade interdite » ne résultent certes pas d'une structuration naturelle du monde, mais sont déterminées par un *point de vue* sous lequel le monde est connu (c'est-à-dire, essentiellement, différencié), point de vue inséparable d'une *praxis* (c'est-à-dire d'une relation de la fonction opérative et connaissante avec le monde) – et cette praxis coexiste avec une certaine topologie des praxis complémentaires ou contiguës. Ainsi, les classes citées plus haut ne sont pas des catégories du monde, mais des catégories déterminées par la manière dont le monde est connu sous un point de vue donné, par un sujet (collectif) défini par sa praxis (éviter que les baigneurs ne se noient, promouvoir le tourisme et montrer aux vacanciers qu'on prend soin d'eux). La relation entre l'observation « mers agitée » et l'opération « hisser le drapeau de baignade interdite » ne prend de valeur fonctionnelle que selon ce point de vue. Aussitôt opérées, ces différenciations, qui permettent les opérations signalétiques, tendent cependant à être perçues comme naturelles, c'est-à-dire toujours-déjà-là. Dans une analyse un peu hâtive, on peut tendre à penser que la classe des « mers agitées » est toujours préconstruite par rapport à la classe des « drapeaux rouges ». Ce serait omettre le fait que s'intercale entre elles une praxis déterminant un point de vue sur les risques de la baignade et que seul ce point de vue rend pertinente l'*extension* de la classe « mer agitée », c'est-à-dire sa différence avec la classe des « mers calmes ». Tout cela L. Prieto l'expose, mais, il me semble, en passant toujours vite sur le pas-

sage de l'opération cognitive à l'opération signalétique, justement
dans la mesure où, dans les cas qu'il discute, ce passage ne pose
pas grand problème. Il semble que les classes cognitives « mer agi-
tée/mer calme », « présence du maître-nageur/absence du maître
nageur » et leur combinaison sous le point de vue des risques de la
baignade soient nécessairement et strictement homologues aux
classes de messages, c'est-à-dire aux signifiés du système de signes, catégories d'influence : « baignade permise », « baignade
non surveillée », « baignade interdite ». Il n'en est rien, il y a eu
notamment translocation d'un constat à un impératif. D'autre
part, le constat doit bien, en lui-même, offrir une certaine *faille*,
une certaine insuffisance. Sinon on devrait se demander pourquoi
le signal est un supplément apparemment redondant à la possibilité qu'a le baigneur d'opérer par lui-même les actes connaissants
« la mer est-elle calme ou agitée ? », « y a-t-il ou non un maître-
nageur à son poste ? » Si le signal se bornait à confirmer ou à renforcer ce dont le baigneur aurait pu se rendre compte par une
simple opération de jugeote, une simple observation du monde, il
n'aurait alors qu'un rôle dérisoire : si la mer est démontée, la présence, d'un drapeau rouge (le vent l'a peut-être arraché...) ne peut
être qu'un stimulus très accessoire pour me faire conclure qu'il
vaut mieux ne pas se baigner. Il faut que le drapeau rouge *serve à
autre chose*, autre chose qu'il n'est pas absolument possible de distinguer de la même chose. Le drapeau sert, comme je le suggérais,
à *instituer* un savoir et non à le communiquer ou à le confirmer,
ou à intervérifier des actes de cognition produits par des sources
indépendantes. En instituant un savoir ou une différence, ce qu'il
ne peut faire qu'en *objectivant* cette différence, c'est-à-dire en la
rendant différente de la différence première par laquelle l'acte cognitif connaît le monde, le système sémiotique institue également
un sujet sémiotique (qui est un non-sujet, qui n'a pas de substance, qui n'est *là* que comme support de prédicat « connaître le
monde »), il institue également un destinataire sémiotique (qui
n'est pas le destinataire naturel, qui est pris dans le rapport entre
son intention subjective [de se baigner] et sa constitution idéologique [être un baigneur]. Il institue enfin le monde, comme *hylê*,
comme nature, comme *objet de connaissance*, soit comme chaos
indifférencié présupposé par l'acte de différence, soit comme différence toujours déjà-là, reflétée dans la cognition. L'opération

sémiotique, la *sémiosis*, institue son sujet, elle élit un destinataire, et elle désigne le monde comme le lieu d'où émane la signification et le lieu où elle se valide et se réfère.

III

Simulacres et signification

On a vu dans le chapitre I, de paragraphe en paragraphe, le problème de la sémiologie des images se poser pour chaque chercheur sous un angle différent, avec une batterie terminologique différente. Un tel degré de dissension était d'autant plus étonnant que ces chercheurs avaient deux références minimales en commun : la conception saussurienne du signe d'une part et le préjugé de sens commun selon lequel l'image signifie en ressemblant. C'est probablement de ces deux points communs qu'émanent toutes les difficultés ultérieures.

CONFUSION DE LA SIGNIFICATION ET DE LA RESSEMBLANCE

Le nœud du problème est le fait qu'en matière d'images, de peinture, de photographie, le problème de la signification est relié à la question de la ressemblance (que cette ressemblance soit traitée « naïvement » comme une analogie naturelle avec un objet concret imité, ou, plus critiquement *en ap-*

parence, comme une ressemblance construite, conventionnelle et « codée » avec un objet ou une classe d'objets).

Mon but va être de montrer d'abord que la signification, au point de vue sémiotique, est à distinguer radicalement de ce qui dans une image est de l'ordre de la ressemblance, qu'il faut traiter de ces deux ordres en les séparant d'emblée, que ce n'est aucunement en *ressemblant* qu'un simulacre *signifie*. Et d'abord parlons en effet de cette notion du simulacre.

PHÉNOMÉNOLOGIE DU SIMULACRE

Voici une allumette : C'est un petit bout de bois avec une tête de soufre. C'est donc une *vraie* allumette. Voici une allumette de farces et attrapes ; elle a toutes les apparences d'une allumette véritable, mais elle est faite en caoutchouc mou. Elle a la forme et les couleurs, les traits perceptibles normaux de l'allumette, mais (je ne me méfie pas) elle n'en a pas la matière ni accessoirement, si j'ai bon odorat, l'odeur soufrée. C'est un simulacre et ce simulacre est appelé à jouer un rôle de discordance fonctionnelle : si je la frotte, elle plie – et tout le monde de rire. En tant que l'allumette est un outil, ses traits axiomatiques (bâtonnet rigide, tête soufrée) impliquent sa fonction utilitaire (s'enflammer par frottement).

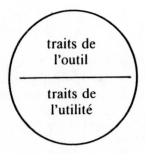

Ici certains de ses traits contingents – dimension, forme, couleurs – ont été préservés : ce sont ceux qui identifient le simulacre comme allumette à l'observation superficielle. Ceux qui échappent à une telle observation (matière premières, odeur, rigidité) ont été « remplacés », par une subversion plaisante.

Un simulacre est un objet second présentant une *différence graduelle* avec une classe d'objets premiers dont ils conservent certaines composantes (qui relèvent de l'identification) sans présenter tous les traits axiomatiques qui y confèrent l'utilité. Cela revient à dire que si un simulacre présentait *tous* les traits de l'objet premier, il s'abolirait comme simulacre, du moment même où il atteindrait la perfection mimétique. De dada au pop-art, toute une série de jeux esthétiques illustrent ce parcours entre le simulacre à dysfonctionnement (« objets surréalistes ») et le simulacre parfait (refabrication artisanale « unique » d'une parfaite fidélité d'objets à diffusion industrielle). Fabrication par l'« artiste » d'un simulacre tellement parfait qu'il ne se distingue plus en rien de l'objet premier ; qu'il est cet objet premier, à la différence près du travail réel investi – mais on le sait, la valeur d'usage social relègue à l'état implicite le travail réel. Ainsi, je puis à grand frais tailler du bois, le même bois que les fabricants d'allumettes, le teindre, y fondre sur le bout un mélange de soufre et de gomme arabique. Après quoi je puis soit l'enflammer par frottement, faisant ainsi le sacrifice esthétique ultime, ou l'exposer au Musée des beaux-arts, sous l'invocation de Marcel Duchamp. (Nous reviendrons sur l'acte d'exposer, car ici se produit une indication notifiante, l'embrayeur d'une semiosis, qui énonce « ici, il y a de la signification ».) Bien entendu, une telle opération est naïve et ambiguë : il semble que le statut muséologique acquis par mon allumette ne fasse que répercuter la valeur-travail que j'y ai investi et, dans l'idéologie esthétique depuis l'aube des temps modernes, la valeur d'originalité liée à l'individualisme du travail. Mais ma mystification peut rencontrer d'autres mystificateurs : on peut remplacer subrepticement mon allumette et son labeur esthétique par n'importe quelle allumette : je n'y verrai que du feu ! Dans ce petit jeu, le simulacre parfait d'un objet premier, se voit substituer comme simulacre l'objet type imité, qui devient simulacre à son tour – mais comment le prouver ?

Il résulte de tout ceci que je dois appeler simulacre un objet présentant une ressemblance graduelle, imparfaite, avec un objet modèle (qui ne devient objet premier que par la construction de son simulacre). Il y a bien ici une relation qui s'établit de façon variable entre deux *objets*. Cette relation, pourtant, en tant qu'elle est de ressemblance graduelle (et de déperdition concomitante de fonctionnalité de l'objet imité), n'est pas de l'ordre de la signifiance. Elle interviendra dans le processus de signifiance mais de manière biaisée et indirecte.

Sous le point de vue où nous nous plaçons, une *allumette peinte ou dessinée* n'est pas différente de l'allumette trompeuse décrite ci-dessus. Certes, je la reconnais d'emblée pour n'être pas fonctionnellement susceptible de s'enflammer – quoique le XVIIIe siècle par exemple ait largement pratiqué le *trompe-l'œil* : c'était produire des objets en deux dimensions comme simulacres suffisamment habiles d'objets en trois dimensions pour que l'observation rapide s'y laisse d'abord prendre. Il suffisait au reste que je regarde de près la fausse allumette pour que je l'identifie comme simulacre peint. On connaît ce mythe où le trompe-l'œil triomphe : Zeuxis traçant sur la toile des raisins si « vrais » que les oiseaux se précipitent dessus pour la becqueter. Sans doute les *pratiques* de reconnaissance ouvrent sur le problème de la signification ; s'il y a semiosis, dans le trompe-l'œil, c'est qu'il invite à deux perceptions, l'une distante, croyant percevoir l'objet premier, l'autre rapprochée, la reconnaissant comme (son) simulacre. Et par cette double connaissance, le fait sémiotique intervient. Mais n'anticipons pas.

LA FEMME ET SES SIMULACRES

Voici une femme ; je puis en produire toutes sortes de simulacres plus ou moins parfaits (en attendant que la science me permette d'en produire le *clone*), c'est-à-dire présentant une quantité plus ou moins grande des traits axiomatiques perceptibles de la classe modèle. Comme pour l'allumette, je ne parle pas seulement de la *vue* en parlant de perception, mais de tous les stimuli possibles confirmant son appartenance à la classe d'objets « femmes ». D'ailleurs, en distribuant ces stimuli comme visuels, tactiles, olfactifs, etc., je ferais appel à une phénoménologie naïve. Si la vue d'une femme (ou d'un simulacre de femme) produit en moi une réaction de stimulation sexuelle, de désir – comme cela peut arriver, dans un cas *comme* dans l'autre – cela indique bien qu'il ne s'agit pas de la seule perception visuelle, mais d'une activité qui n'est pas sensorielle en dernière analyse, qui est reconnaissance et identification.

Voici maintenant des simulacres de femmes – un travesti, un mannequin du Musée Grévin, une poupée gonflable, une photo (en couleur ; en noir et blanc). Ils présentent tous par rapport à l'objet premier, des traits de ressemblance graduelle. J'entends en effet que la ressemblance est ici partie de la fonctionnalité, entre autres dans l'ordre de la fonction d'excitation sexuelle (prise, il faut le dire, en vertu du caractère didactique de l'exemple et sans préjuger du fait que d'autres fonctions peuvent s'attacher à l'objet). Si j'ai une ferme foi dans les idéologies essentialistes, je dois proclamer bien haut que seule la femme objet premier peut être identifiée comme telle et considérer comme perverse et saugrenue cette dérive entre simulacres. Un grand « idéaliste » comme Villiers de l'Isle-Adam, a suggéré pourtant un jour le contraire, – et cela se soutient, – dans son chef d'œuvre, *l'Ève future* où le simulacre est aimé par le héros, non pas autant qu'une femme, mais *plus* que la femme modèle dont Edison s'inspire pour créer son robot. Si nous redescendons de l'idéal dans l'expérience triviale, nous verrons aussi bien qu'une photo de pin up, en conservant graduellement des traits de l'objet imité, peut conserver également une partie de sa fonctionnalité – ici celle d'excitation sexuelle. J'entends même que dans notre société de misère sexuelle, bien des hommes s'exciteront plus à loisir sur la pin up qu'ils ne se trouveraient à l'aise avec le modèle qui a posé. C'est dit-on le fait d'une société audiovisuelle, et cela nous fait nous souvenir que le problème se posera aussi de savoir en quoi un texte écrit produit une spatialisation simulacrée, une iconisation : le xviiie siècle n'appartient pas à la civilisation de l'image, mais Andréa de Nerciat parlait de ces livres « qu'on ne lit que d'une main ».

Je n'ai pas nié qu'il n'y ait ici des faits qui relèvent de l'ordre différentiel de la signification et de son institution énonciative, mais je veux montrer qu'on peut traiter de la ressemblance comme telle, que ce n'est pas en ressemblant que cela signifie, – que la signification ne se détermine pas dans l'acte de produire le simulacre, ni dans l'écart ou le degré de mimétisme existant entre le simulacre et l'objet imité.

PREMIÈRE MÉDITATION SUR LA PHOTO DE PIN UP

Considérons maintenant la photo de pin up et construisons autour d'elle un petit récit conjectural en dehors de tout cadre théorique. Sans avoir vu de quoi elle se constitue, ni comment elle se constitue, nous y avons cru voir *de la signification*, nous avons *traduit* cette photo en un certain nombre d'énoncés (et le commentateur qui a rédigé la notice dans le cartouche en bas à gauche n'a pas fait autre chose que cela), – sans que ces énoncés aient fait d'ailleurs l'unanimité, sans que tous aient paru une paraphrase nécessaire, vraisemblable pour chaque observateur.

On pourrait objecter ici : s'il y a du « sémiotique » *dans* cette photo, comment se fait-il qu'on ne soit pas d'accord, d'un accord nécessaire, accord qui confirmerait l'existence d'un *code* de la photo ? Certains ont proposé alors l'opinion qu'il n'y a pas ici de signification stable ; que chacun a projeté sur la photo des états d'âme subjectifs. Il n'y aurait plus alors de problème sémiotique : la photo serait une tache de Rorschach.

Eh bien non, – le débat est mal engagé ; la question de savoir s'il y a de la signification *dans la photo* ou seulement *dans ma tête* m'a tout l'air d'une formulation scolastique qu'il faudra complètement reformuler.

D'autre part, si l'on ne s'est pas mis pleine-
ment d'accord sur les significations de la photo, rappelons qu'un
même degré de désaccord aurait pu se manifester pour un texte
(imprimé, littéraire), malgré le fait qu'on prétend le connaître
comme constitué par un *code linguistique*. Ainsi donc, on ne sait
encore rien : ni *où* est la signification ni s'il y a quelque *code iconique* derrière la photo. On ne peut dire qu'une chose : nous avons
tous conféré du sens à la photo, sans que celui-ci apparaisse ni
comme pleinement nécessaire, ni purement subjectif.

Puisqu'il y a de la signification à trouver
dans la photo, reste à pousser jusqu'à l'absurde la question de savoir à quel moment on a commencé ici à avoir affaire à un objet
sémiotique particulier ? C'est qu'il y a là un problème logique. S'il
y a vraiment une sémiotique « iconique » ou un secteur de la sémiotique propre aux « icônes », il faudrait, ce me semble, que l'engendrement de la signification soit concomitant à l'institution de
l'image même et, sur le plan des contraintes matérielles, ne
préexiste pas à sa fabrication concrète.

Cela revient à ceci que pour que se mani-
feste un système de signes, il faut le support matériel d'un signal
et, d'autre part, que ce signal n'est signal (et non, comme pourrait
l'être le drapeau sur la plage, une simple garniture) que parce
qu'il manifeste ce système de signes. Les deux propositions sont
tautologiques. Donc, à quel moment la pin up est-elle devenue
objet sémiotique, tel que la photo en manifeste la signification ?
Retraçons le processus rétrospectivement. Avant la photo, il y a
eu le négatif : la signification y est déjà ! Avant, il y a la caméra
qui fixe le modèle, dans le studio du photographe. Avant, il y a la
jeune fille qui a ôté ses jeans et son T-shirt, qui a revêtu le bikini
effrangé, qui s'est maquillée, selon certaines indications. Quand
elle a posé devant l'objectif, les significations qui sont *dans* la
photo étaient déjà *sur* elle. – Objection : la photo a été retouchée.
Mais cette objection confirme ce que nous disions : le photogra-
phe-retoucheur accentuant quelques lignes, les lumières et les
ombres, ne peut se livrer à ces opérations que parce qu'il accentue
– il élimine un certain brouillage au profit d'une plus grande « lisibilité » – une signification qui est *déjà-là*, qu'il (re)connaît. Et
avant tout cela, il y a la fille qui a été convoquée par le photogra-

phe et qui descend de l'autobus au coin de Madison et de 45th
Street. Question : est-elle déjà *cet* objet sémiotique ? De ce petit
récit, on pourrait tirer une hypothèse rapide, mais fausse : la
jeune fille qui va être (re)produite sur la photo, est devenue pro-
gressivement, par un processus accumulatif, un objet sémiotique,
cet objet sémiotique-là qui est *sur* la photo. Cette semiosis cumu-
lative correspondrait très simplement aux étapes successives décrites. Il y a d'abord la fille réelle, qui serait déjà « un peu » por-
teuse de la signification fixée sur la photo, puis le maquillage, le
déguisement, le décor d'arrière-plan, le cadrage, l'éclairage, le ti-
rage, les retouches et le positif final. À chaque étape les effets de
sens se seraient accumulés et concaténés.

À la réflexion, cela ne marche pas. Nous
avons raisonné à la superficie concrète du processus et nous
n'avons pas tenu compte du fait que cette photo a dû aussi être
conçue, à un moment donné ou en plusieurs moments, par le photographe, aidé des avis du maquilleur, d'un copain et de la cover-
girl elle-même. On a des raisons de croire en effet qu'il s'agit
d'une création collective, qu'ils se sont mis d'accord, que certaines circonstances les ont servis, qu'ensemble ils savaient à peu
près ce qu'ils voulaient. Ainsi donc la *semiosis* de la photo existait
déjà dans plusieurs têtes avant d'exister sur papier glacé. Il faudrait faire preuve d'une sorte de matérialisme crasse pour dire
qu'une représentation mentale *n'existe pas*. Elle existe, elle active
des neurones dans quelques crânes. Certes, elle n'est pas transmissible, reproductible ni généralement perceptible. Mais la
transmissibilité, la reproductibilité ce sont des qualités du simulacre comme objet matériel ; ça n'a rien à voir avec la sémiotique ...
c'est parce que la photo a dû être conçue avant d'être réalisée
qu'elle pourra être reconçue, c'est-à-dire comprise, par l'acheteur
du journal qui la publiera. Au moins ici, nous avons suivi une
piste : *tout* ce que je peux dire de la photo, je pouvais le dire à un
moment donné de la fille qui a posé devant la caméra. Alors, en
tant que telle, la photo n'a rien produit de spécifique, elle n'est pas
sémiosis ; elle est un simulacre (transmissible, multipliable) d'une
semiosis. Ou plutôt ici, je me mélange : elle est aussi un simulacre
(un degré de ressemblance, en deux dimensions, en réduction, en
noir et blanc) d'un objet premier unique, la jeune fille réelle qui

posait ... Elle est un simulacre (une transmission sur un support fixe) de faits de signification qui ne lui sont pas spécifiques puisqu'ils étaient déjà-là dans/sur la fille visée par l'objectif.

Ici vient une autre objection : on peut dire : – eh bien oui, l'icône photographique n'est pas sémiotiquement différente du modèle, parce que le modèle (attifé, maquillé, encadré) est déjà une « icône » : On ne se promène pas comme ça dans la rue ! Mais cette remarque (à mon avis également une fausse formulation) n'ôterait rien à la conclusion qui précède : le passage du modèle en chair et en os au simulacre photographique n'aurait pas en soi institué de la signification : loin d'être un objet-de-signification, la photographie est un simulacre porteur d'une signification toujours ailleurs. Cela revient à dire qu'il y a déjà des constructions signifiantes « dans le monde », que la signifiance stratifie, travaille sur de la signifiance déjà-là. Le maquillage serait en soi, à la scène ou à la ville, une inscription de sens, par exemple. Ici, problème : le maquillage n'imite pas, il souligne (le crayon souligne le mouvement des sourcils). Le maquillage interprète ou connote l'objet premier où il s'*applique*. S'il s'agit de connotation, c'est-à-dire d'opération seconde, cela nous conduirait à poser que les « objets naturels » (les yeux, les sourcils, la bouche) portent un premier degré de signification. On aboutirait alors à une nouvelle hypothèse globale : – non, me concéderait-on, il n'y a pas de sémiotique de l'icône, car l'icône prétendue ne faisait que fixer (sur le plan matériel) et représenter (sur le plan du simulacre avec déperdition graduelle des traits de l'objet imité) le « monde », un segment du monde. La signification était dans le monde, l'acte de photographier un segment du monde (une belle fille, quoi de plus naturel) n'ajouterait à cette signification qu'une notation déictique, cette indication notifiante globale : « regardez, ici vous trouverez du sens ». Nous voici avec l'hypothèse qu'il y a une sémiotique du monde, mais que ses différences, ses classes, ses faits de significations peuvent être connotés, accentués, fixés et globalement anaphorisés dans la photo comme notification du sens qu'il y a dans le monde. Cela ne va pas non plus : il n'y a pas de sémiotique du monde naturel, si l'on entend une signification que la réalité empirique imposerait à l'observateur. Tout ce que nous avons dit sur les faits indiciels d'abord, et sur le fait qu'aucun système de signaux ne peut se concevoir, s'il ne présuppose logiquement un système de différences cognitives préalables, se reporte dans le cas des prétendus « faits iconiques ». La signification n'est pas *dans* la photo, elle n'est pas *sur* la fille qui a posé pour la photo, elle n'est pas à strictement parler *dans* la seule tête du photographe, elle n'a pas de lieu matériel. Elle est *l'acte par lequel un sujet idéologique connaît le monde.* Pour le dire en d'autres mots, elle est *idéologie.* Mais quel est le lieu de l'idéologie ? Non l'acte cognitif d'un individu concret, sinon aucune intercompréhension des simulacres présentant cette cognition ne serait possible ; non le simulacre même, qui n'a rien de spécifique en tant qu'il représente un segment du monde ; non dans le monde, enfin, tel qu'il existe avant d'être connu. Ce lieu inassignable rend ma phrase de tout à l'heure inacceptable parce que la grammaire m'obligeait à assigner un sujet au prédicat « connaître le monde ». Or la logique de ma réflexion revient à ce que ce sujet ne préexiste pas à son prédicat, que le prédicat institue, construit le sujet. Il faudrait énoncer, comme dans les langues à ergatif : « Il y a une connaissance du monde quant à *un* sujet. » Voilà bien la difficulté : si *ma* manière de connaître le monde était la seule manière possible de le connaître, alors il serait expédient de déclarer synonymes « connaître le monde » et « le monde tel qu'il est connu ». Mais justement, il y a plusieurs manières de connaître le monde sans pour autant qu'il y ait autant de manières de connaître le monde qu'il y a de sujets empiriques. Ces multiples sujets/nonsujets qui produisent de la prédication (qui différencient le monde en le constituant en multiplicité différentielle pour reconnecter ces objets différents en une totalité qui est une « vision du monde »), je les appelle idéologiques. Et je ne peux dire d'eux que ceci : qu'ils s'instituent comme la somme de *leurs* prédicats, qu'ils n'assument pas tous les prédicats possibles quant au monde et qu'en ceci ils s'instituent comme différents, opposés, incompatibles avec d'autres sujets idéologiques.

      Le propre de la photo de pin up, c'est qu'elle est le simulacre matériel et transmissible d'un segment de prédication, le simulacre d'une idéologie (« sexiste », disons pour couper court, mais il n'est pas facile ni même recommandé d'*identifier* trop vite cette prédication sans sujet et sans objet).

Mais, en ceci qu'elle est aussi la photographie de *quelqu'un* qui a réellement posé devant l'objectif, je tends à y voir un simulacre d'un segment du monde, tel qu'il existerait réellement, c'est-à-dire antérieurement à la manière dont des sujets le connaissent.

En ceci, une photo de pin up est, dans une formulation naïve, comme simulacre, pleine vérité et parfait mensonge (mais il n'y a pas que les photos de pin up ...) Elle est vraie en ceci qu'à des retouches près, elle représente bien un segment du monde, une fille qui a un jour posé devant la caméra et elle est mensonge, mais indémontrable, en ceci que ce qu'elle dit du monde, n'est pas nécessairement *vrai* (que les femmes ne sont pas comme ça, que le désir, ce n'est pas cela). Mais en disant « les femmes ne sont pas comme ça », je dis simplement que ma manière de connaître le monde n'est pas celle que la photo me signifie, et je semble céder – quoique prévenu, – à la mystification même que je dénonce, je semble dire que je sais que la manière dont un sujet connaît ici le monde n'est pas conforme à la vérité du monde. Je semble prétendre m'installer à mon tour en ce lieu où le monde signifierait avant qu'un sujet quelconque le connaisse.

SCIENCE ET IDÉOLOGIE

Ce mouvement là serait permis si il y a avait *deux* sortes de cognition, – l'une idéologique, c'est-à-dire fragmentaire et fausse, – et l'autre (qui serait le moyen de ma critique de la première) validée par la réalité du monde, c'est-à-dire – pour couper court – « scientifique ». Si je pose qu'il n'y a pas à opposer à la signification mensongère (idéologique) de la photo de pin up, une signification absolument vraie, il ne me reste plus semble-t-il que de dire : toutes les manières dont les sujets/non-sujets idéologiques connaissent le monde s'équivalent, en ceci qu'aucune ne peut être absolument validée, puisque cela supposerait que je me place (par dieu sait quel saut mystique) en deçà du moment où le monde est connu. Cela s'appelle d'ordinaire « relativisme » et il ne nous reste plus qu'à aller nous coucher. Mais peut-être qu'une troisième voie nous est offerte, et que nous y

avons déjà pénétré un peu. On avait suggéré que la signification
idéologique dont le support est la photo de pin up se redoublait
d'une sorte de mensonge ou de remystification invincible, qui
était que, la photo étant aussi un simulacre, elle pouvait se faire
passer pour la représentation d'un fragment du monde tout en
étant un fragment de la façon dont un sujet idéologique connaît le
monde. Et ce que nous disions là, quoique négatif, était *vrai*, qui
consistait à redoubler l'idéologie même, à la représenter en la
montrant pour ce qu'elle est. Ainsi nous avons peut-être une voie
à suivre, ni scientisme (il y a *une* vérité du monde), ni relativisme
ni positivisme (le sens est *dans* la photo), mais *critique*, c'est-à-
dire ce mouvement par lequel je montre l'idéologie comme idéologie, – je la décris, j'en rétablis l'engendrement, c'est-à-dire que
... je la connais. Il est permis maintenant de chercher à synthétiser
toutes ces hypothèses et de commencer à les généraliser.

IV

Inanité des sémiotiques iconiques

INANITÉ DE TOUTE SÉMIOTIQUE DE L'IMAGE

Ma thèse est donc la suivante : c'est qu'il y a bien de la différence entre une pin up en chair et en os et une photo de pin up : que ces deux objets diffèrent en tout point, pour le chimiste, le biologiste, le sociologue, le journaliste, le sexologue... – pour tous sauf pour le sémioticien qui doit dire que : les classes par lesquelles des particularités sont identifiées sur la photo sont de toute nécessité les classes par lesquelles j'identifierais ces entités signifiantes en regardant la fille réelle qui a posé. Que le fait que l'observateur (sauf jeu de trompe-l'œil) ne confond pas la photo et le modèle réel ne réfute pas ce qui précède. Que, sans doute, il est très important de définir la photo comme *simulacre*, mais que ce point de vue n'est pas d'abord celui du sémioticien, – parce que justement je suppose que le sémioticien se place du même point de vue que le linguiste quand il examine les langues naturelles. Si les classes par lesquelles j'identifie une locomotive étaient les mêmes classes par lesquelles j'identifie le mot « locomotive », la linguistique n'existerait pas : elle se confondrait avec la gnoséologie. Comme il n'en est rien, la linguistique est légitimée comme science autonome. Les sémiologies de l'image, du cinéma, du texte ne sont *a contrario* et par le même raisonnement, que des sortes de fétiches imposteurs. On a pris pour exemple le domaine de la photographie car il peut produire, à la limite, des simulacres purement mécaniques des réalités (segments de réalité) empiriques. Cependant, la même technique peut, à de certaines conditions, devenir un *art*. Il me semble que la réflexion sur les objets photographiques conduit à poser comme évidences : – que les classes déterminant des identités sur une photo ordinaire donnée n'ont rien de spécifique à la photo en tant que telle, mais que celle-ci n'est cependant pas, pour le point de vue sémiotique, le *reflet* d'un segment du monde empirique qui imposerait ses catégories et sa signification à l'observateur. Que certes une photo, en tant qu'artefact ou simulacre résultant de choix conscients, peut imposer une structuration *plus* systématique, *plus* redondante, *plus* « lisible », des classes d'identités qui s'y perçoivent – mais qu'il s'agit là d'une question de degré par rapport au caractère élusif, mouvant et équivoque des « spectacles » offerts par le monde quotidien. Or, on ne peut constituer comme catégorie épistémique « à part » des phénomènes cognitifs qui n'offrent avec d'autres phénomènes qu'une différence graduelle ou quantitative et non une différence de nature.

Reste à – récapituler les fins sous-jacentes à la démarche que nous avons accomplie ; – à expliquer sommairement les raisons (elles-mêmes idéologiques) pour lesquelles tous les chercheurs ont cherché à autonomiser en discipline une prétendue « sémiotique de l'image » ; – à exposer ce que nous entendons par une sémiotique critique, qui doit être dès lors une critique des sémiotiques.

RÉTROSPECTION

En vue d'interroger les modèles sémiotiques actuels, il était à propos de ne pas partir du domaine des signes arbitraires, trop inscrit dans la mouvance des modèles linguistiques et trop tenté d'en retrouver les prétentions d'« autonomie ». Il était à propos aussi de ne pas partir des « indices » trop *naturellement* inscrits dans un « rapport naturel », mais de cette troisième classe prétendue, conjecturée par Peirce et largement acceptée par les structuralistes, celle des ICÔNES. Tout ce qui allait de soi avec les systèmes de signes : code/performance, double face, double paradigmatique, présence d'unités combinables, rien de tout cela ne peut s'utiliser pour l'examen des images, des peintures, des sculptures, des photos, du cinéma. Ce que nous y systématisons sera non seulement différent, mais axiomatiquement contraire. Et ce renversement ne sera pas sans susciter un doute qui se répercutera de proche en proche jusqu'aux modèles de l'indication « naturelle », des systèmes de signes conventionnels et des langues. Le rapport obscur ressemblance/référent où l'« icône » semble réinstaurer très aisément cette chose, le référent, que le linguiste fonctionnaliste avait éliminée, avec embarras ou satisfaction, était une autre raison de partir par là.

La meilleure justification de toute cette démarche est que, quand on est pris de doute, il faut pratiquer l'écart absolu (Fourier). Si tout le monde part d'un modèle linguistique, fût-ce pour le critiquer partiellement, une critique plus radicale prendra le problème par l'autre bout.

Nous avons retenu cependant de la linguistique structurale la façon dont elle conçoit la pertinence, c'est-à-dire sa gnoséologie, celle notamment de l'école pragoise de phonologie. Appliquée à la classe prétendue des icônes, cette conception aboutit à ceci : que l'« icône » ressemble à quelque chose, mais que ce n'est pas en ressemblant qu'elle signifie, pas plus qu'un énoncé ne signifie en ressemblant à un autre. La photographie même la plus fidèle ne peut se définir sémiotiquement par sa ressemblance avec un segment du monde concret. Autant dire que la sémiologie des images n'existe pas, du point de vue même qui fonde la conception du signe et de l'indice. (Maintenir l'icône dans la mouvance de la problématique « indice/signe », revient à instituer l'analogie comme essentielle et à la constituer comme un mode parmi d'autres de la relation signifiante.)

En marge du point de vue sémiotique, nous avons parlé alors de la ressemblance, c'est-à-dire des images comme simulacres (mais il est d'autres simulacres, – la parole rapportée, l'écriture). Un simulacre est un artefact qui se définit par son *degré* d'adéquation avec un segment du monde qu'il constitue en objet premier. Le rapport qui existe entre un simulacre et son modèle n'est pas de l'ordre de la signification et n'entre pas dans le domaine de la sémiotique comme tel. Ce rapport est du reste graduel (quantitatif). Un simulacre « parfait » s'identifierait au modèle, c'est-à-dire cesserait d'être simulacre, s'abolirait comme simulacre. Les simulacres auxquels nous avons affaire relèvent d'un degré d'adéquation perceptive (visuelle) à des objets premiers, abstraction faite de toutes autres qualités objectives de ceux-ci. Que le simulacre soit simulation graduelle implique que l'on peut toujours produire un simulacre de simulacre : la photo d'un tableau, le xerox de la photo d'un tableau... (etc.) Tout simulacre est susceptible d'être à son tour constitué en objet premier par une autre simulation. Ce caractère illimité de la simulation est essentiellement différent de l'opération signalétique où l'on ne peut concevoir que l'on puisse signaler le signal (on peut l'annoncer, ou le confirmer par des indications circonstancielles : c'est une autre affaire). Une image est, à la fois, un simulacre et une manifestation de classes sémiotiques, mais ce n'est pas en tant que simulacre qu'elle est sémiotique. Tout ce qui est spécifique à la photo, à la peinture, au dessin n'est pas sémiotique et tout ce qui, à travers elles, est sémiotique ne leur est pas spécifique.

        La description du rapport d'imitation entre le simulacre et son modèle, comme tel (fonction notamment de l'optimum du perceptible) n'est pas en elle-même sémiotique. Cependant, dans la mesure où le simulacre peut manifester (manifeste) la manière dont un Sujet connaît le modèle (et les conditions de perception du modèle), la sémiotique intervient. Le simulacre, reproduisant la façon dont l'idéologie connaît le monde, est support-de-l'idéologie, (re)production de l'idéologie. Tout ce qu'opère de spécifique le simulacre est d'énoncer une intentionnalité globale, c'est-à-dire de connoter globalement la manière dont le sujet connaît le monde en resignifiant (indication notifiante) la signification (indications signifiante) qui s'y trouve. Le simulacre signifie en lui-même ceci seulement : qu'on peut y trouver de la signification.

Ce que l'image photographique *manifeste* ce n'est pas le monde, mais la manière dont un sujet connaît le monde. (Cette connaissance est une praxis et est indissociable des autres praxis.) Le « sujet idéologique » étant une fiction, il faudrait dire « la manière dont le monde est connu, en ceci qu'il peut être connu d'autres manières » – cette différence *identifie* l'acte de connaître. Un simulacre mécanique comme une photo ou un film est aussi connu par l'observateur, par une illusion insurmontable, comme un *analogon* du monde tel qu'il *serait* antérieurement à la manière dont « je » le connais.

Le « sujet » est un non-concept et est dépourvu d'individualité. Les sujets réels qui émettent de l'idéologie, tout en étant structurés par elle, peuvent confirmer à un niveau anecdotique ce qui est déduit de la description du système sémiotique qu'ils actionnent, mais la connaissance de leurs intentions n'est pas requise pour construire la sémiosis.

Les qualités des simulacres visuels fixes (ils sont stables et permanents, n'ont pas de volonté propre, sont plus ou moins reproductibles *ad infinitum*, le caractère d'indice ou de signal de leurs traits n'est pas décidable) en font des opérateurs idéologiques « intéressants ». C'est en quoi ils méritent d'être étudié à titre de stratégie sectorielle.

SÉMIOTIQUE CRITIQUE ET CRITIQUE DES SÉMIOTIQUES

J'identifie la « sémiotique » à la critique de l'idéologie. Cette critique appelle la critique des sémiotiques proposées par différents chercheurs (recensés au chapitre I) où s'instaure une méconnaissance de l'idéologie, soit par fétichisme de l'objet d'examen (prétendue « sémiotique iconique ») soit par fétichisme des unités de savoir fictivement construites (fantasme du « code » – déjà discutable en termes de « code linguistique » et qui aurait dû être senti d'emblée comme involontairement rigolo dans des expressions comme « code iconique », « code cinématographique »...)

Le critique-de-l'idéologie-travaillant-sectoriellement-sur-des-simulacres reconnaît la façon dont il connaît le monde et ses simulacres, et peut donc *exposer* les différentes façons dont on les méconnaît, – telle est sa praxis. Il se connaît lui-même comme structuré par la façon dont l'idéologie connaît le monde et structure sa perception.

Une des opérations fondamentales de l'idéologie consiste à attribuer un sujet (idéologiquement substantiel) à des prédicats. La critique de l'idéologie consiste au contraire à ne pas pourvoir d'emblée d'un sujet les façons dont le monde est connu, cependant même que la façon dont le monde est connu n'est pas la seule façon dont il peut l'être.

Il n'y a donc pas de « sémiotique de l'icône » : c'est l'illusion scientiste (l'idéologie scientiste). Il n'y a donc pas de « sémiotique du monde » : c'est l'illusion naturaliste (autre morceau de l'idéologie scientiste, point de vue complémentaire). Il n'y a pas à strictement parler de « sémiotique » de la manière dont le sujet-idéologique-connaît-le-monde, en ceci que cela peut s'appeler critique de l'idéologie ou gnoséologie sociale.

Toute sémiotique qui ne se conçoit pas comme critique de l'idéologie est idéologique, en ceci qu'elle méconnaît la manière / dont elle connaît la manière / dont le sujet (non-sujet) idéologique connaît / le monde.

Il n'y a donc pas de « sémiotique textuelle » (air connu, mêmes variations)...

Il en résulte en première approximation : Que l'analyste social, en connaissant le simulacre, doit chercher à connaître la manière dont un sujet connaît-le-monde, et non la manière dont le sujet connaît l'« icône » comme telle. La manière dont le simulacre est structuré (le fait plastique) est un moyen de signaler connotativement la manière dont, à travers lui, « je » connais le monde.

Si le sémioticien croit que son objet est de connaître la manière dont *on* connaît « l'icône », il présuppose au contraire qu'il y a des qualités sémiotiques à « l'icône » qui sont spécifiques à celle-ci. Si le sémioticien non critique accorde une spécificité à « l'icône » comme étant *son* objet, c'est parce que l'idéologie de la sémiotique (la praxis par laquelle il la connaît) vise à nier que ce qu'il doit se donner à connaître est la manière dont le sujet idéologique connaît le monde.

La dichotomie signifiant/signifié (et tout paradigme dérivé) appliquée de façon purement métaphorique aux prétendues « icônes » a pour effet d'introduire un fétiche épistémique oiseux qui hypostasie le simulacre et exclut l'idéologie.

En tant que le chercheur se donne au contraire pour fin de s'inscrire dans une *marge* critique par rapport à l'idéologie (c'est-à-dire pour pouvoir « en » parler sans « y » parler), il se donne également pour fin de réfuter ces sémioticiens qui, en s'installant dans la « spécificité sémiotique », prétendent s'installer d'emblée hors de la mouvance de l'idéologie (c'est-à-dire « être scientifiques »). Car le sémioticien, dans sa « marge » ne s'installe pas, par une sorte d'hallucination, hors de l'idéologie, c'est-à-dire dans la science ; il se place inconfortablement dans un rapport problématique qui reconnaît pleinement l'idéologie en son lieu, et en la reconnaissant évite de la méconnaître.

Il n'est pas dit que l'objet de la sémiotique serait une sémiotique du monde naturel « reflété » dans l'icône, il est dit que son objet est la manière dont le monde « naturel » est connu et son enjeu critique le point où la manière dont il est connu est confondu avec l'analogon de ce qu'il *est*. Ce point est la tache aveugle de toute pratique idéologique, c'est-à-dire de la manière dont le monde est connu en tant qu'elle cherche à se rendre « naturelle ».

La sémiotique aujourd'hui n'existe pas : c'est une sorte d'accordéon épistémologique qui, selon les ambitions (idéologiques) de chacun se replie en étude de systèmes aussi restreints que les signaux routiers ou l'héraldique, ou se déplie pour englober une anthropologie ou une gnoséologie universelle. La sémiotique aujourd'hui c'est l'ensemble des études sectorielles des pratiques connaissantes, mais contaminé un peu partout de fétiches linguistiques ou logiques, d'axiomes innéistes et de dénégation de l'historicité et de l'intersemiosis sociale de ces pratiques mêmes.

LES FAITS « PLASTIQUES »

À travers les simulacres fixes ou mobiles, nous chercherons à connaître la manière dont l'idéologue reproduit (en la méconnaissant) la manière dont il connaît le monde. Dans cette étude il n'y a de place pour le plastique (et l'esthétique) que comme instrument idéologisé de cette méconnaissance. Les traits et harmonies plastiques, en ceci qu'ils sont notamment analogues aux méta-formes (« géométriques ») par lesquelles on connaît le monde, et dans la mesure où ces méta-formes sont identifiées à des analoga-du-monde, portent à croire que s'établit un réseau qui ne souffrirait pas la médiation de l'idéologique.

Cependant, le plastique en ceci que, dans les simulacres (et non dans le *geometria perennis*), il est le moyen et le support de la reproduction de l'idéologie, est idéologique (idéologisé). Mais son idéologisation est supportée par la *Verneinung* idéologique selon laquelle il renvoie à des formes transcendantes ou des idéalités.

Les esthétiques, picturales, etc., produites dans l'histoire de notre civilisation sont des métadiscours idéologiques par lesquels la manière dont le simulacre reproduit la manière dont le sujet-idéologique connaît le monde est méconnue (sublimée, naturalisée, fétichisée). L'étude sectorielle de l'idéologie des simulacres ne peut donc être qu'une critique des esthétiques.

Si l'étude sectorielle des simulacres peut être critique de l'idéologie, alors (par le principe de conversion des points de vues latent dans cet exposé) la pratique des simulacres peut être critique de la manière dont le sujet idéologique connaît le monde. On appellera ART cette pratique-là.

SUR L'IDÉOLOGIE (EXTRAPOLÉ DE LUIS PRIETO)

Je reprends ici en résumé des thèses qui me semblent venir tout entières de L. Prieto. Connaître-le-monde implique toujours un point de vue sous lequel le « sujet » le connaît. Ce point de vue est immanent à une *praxis* (donc à une visée, une intentionnalité). Ce point de vue détermine la perception d'une régularité, la sélection de traits pertinents et la scotomisation de variables non pertinentes dans l'objet construit. Mais en fait, ce n'est pas *dans* l'objet, mais dans la différence que le point de vue du sujet conçoit entre la classe déterminée par les traits pertinents de l'objet et les classes complémentaires – dépourvues de ces traits – d'une totalité. Ainsi, l'acte connaissant est la constitution de classes par différences pertinentes à un point de vue. L'idéalisme consiste à *fétichiser* ces classes en scotomisant la praxis qui les a constituées et en les instituant comme des réalités transcendantes au point de vue sous lequel « je » connais le monde. Le matérialisme revient ici à reconnaître la façon dont le sujet se connaît en connaissant-le-monde. Il faut appeler idéologiques, en un sens général, ces opérations fondamentales de différenciation.

Les appeler « idéologiques » revient à reconnaître que : 1) la connaissance est inséparable de la praxis, 2) la praxis relativise le connaissable sous un point de vue donné, 3) l'idéologie n'est pas dépourvue par essence de valeur cognitive, 4) parmi toutes les opérations instrumentales, les opérations cognitives constituent une classe à part qui présente ceci de particulier qu'il n'est pas d'opération instrumentale qui n'exige une opération cognitive immanente. (Le point 4 conduit à rejeter comme source de confusion le paradigme superstructure/infrastructure qui semble accorder une autonomie déterminante à des opérations instrumentales (économiques) indépendantes de la manière dont les sujets les conçoivent.)

On appellera « critique » non une manière de se situer par un *fiat* quelconque hors de la mouvance idéologique, mais une manière complexe de travailler *dans* l'idéologique, impliquant au moins *deux* règles élémentaires :

1) Le redoublement de l'opération connaissante, où le sujet connaissant connaît également le point de vue sous lequel il connaît ;

2) La multiplication des points de vue sur le même segment du monde, en vue d'y faire apparaître un champ problématique.

Il résulte de ce qui précède que l'idéologie construit simultanément le monde-en-tant-qu'il-est-connu et le sujet-qui-connaît. Autrement dit, du point de vue de la connaissance, le sujet n'a pas de réalité substantielle en dehors des prédicats correlés qui le déterminent.

Ce serait même l'une des opérations essentielles de l'idéologie – au sens banal – que d'attribuer par fiction un sujet synthétique à des séquences coïntelligibles (dotées d'une acceptabilité réciproque à un moment historique) de prédicats. Il est donc tout le moins fondamentalement équivoque de parler d'idéologie « bourgeoise », si cela veut dire que la bourgeoisie est définie d'abord comme sujet substantiel producteur intéressé des ensembles de prédicats qui reçoivent d'elle son nom. Cette remarque revient à aborder, par ce biais, le problème du caractère virtuellement indéterminé des idéologies quant aux sujets concrets qui peuvent les assumer.

On appellera encore « critique » une manière de connaître qui, connaissant les règles selon lesquelles l'idéologie opère, s'efforce d'opérer à son tour – par un écart heuristique – en prenant le contre-pied de ces règles-là.

V

Analyse de la photo de pin up

UNE « ANALYSE » D'INSPIRATION LINGUISTIQUE

Revenons à notre sémioticien imbu du modèle linguistique dont la seule généralisation a semblé longtemps la voie à suivre pour toute théorie des faits de signification. Nous allons lui demander de construire une description systématique de la « photo de pin up ». On pourrait croire que je suscite ici un adversaire « naïf » imaginaire pour me donner ensuite les moyens de le pourfendre. Il n'en est rien : je me borne à faire la synthèse des conceptions sémiotiques appliquées à l'analyse des « icônes » dans la filiation de Saussure et Hjelmslev... J'ai montré ailleurs que Prieto était muet sur la question et je discuterai plus loin la « critique de l'iconisme » d'Umberto Eco, laquelle ne me semble pas – toute critique qu'elle se veuille – dégagée du parallélisme sémiotico-linguistique et qui ne me paraît pas prémunir le chercheur contre le type d'analyse que je vais maintenant chercher à produire, puis à critiquer. Ce qui me paraît singulier dans l'« analyse » qui va suivre c'est qu'elle est à la fois l'exemple même du bousillage intellectuel et que, cependant, au prix d'un certain verbalisme et de la scotomisation de difficultés, elle semble « marcher ».

Le sémioticien imbu du modèle linguistique (appelé ici SIDMOL) va poser d'emblée que nous avons affaire à un objet codé, décomposable en unités minimales signifiantes à double face S^a/S^é, à la seule différence que le lien entre le S^a et le S^é serait celui d'une analogie et non de l'arbitraire. Il va donc isoler dans la photo des segments de plan comportant un assemblage distinctif de blancs et de noirs, isolables du fait qu'ils correspondent aussi à un segment minimal de la signification, selon le type :

S^a S^é

. . . . sourcil

. . . . œil

Nous aurions ici, par exemple deux unités à double face régies par l'analogie et se coïnterprétant l'une l'autre par leurs positions relatives, constituant ainsi des ensembles complexes par analogie avec le « monde référentiel ».

Il chercherait à montrer ici comment le lien analogique est « codé » c'est-à-dire relativement conventionnel, le « signifiant » étant construit selon des déterminations du « plastique » comme axiomatique immanente à la forme de l'expression. Ainsi le code « photo de pin up » se distinguerait au moins du code « bande dessinée à la Hergé » ou les traits minimaux du signifiant, toujours analogues à des segments du signifié, se distingueraient par des conventions plastiques particulières :

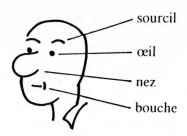

sourcil

œil

nez

bouche

En prolongeant l'analyse selon le même mirage linguistique, le SIDMOL en viendrait, non sans satisfaction, à découvrir l'équivalent d'une tropologie, d'un langage rhétorique ; un métatexte conduisant vers des significations symboliques :

/regard en coin/	(dénotation)
« lascivité provocante »	(connotation)
/déchirure du bikini/	(d.)
« violence de l'Éros »	(c.)

Sans doute ne manquerait-il pas de voir aussi une « métaphore » du sexe dissimulé par un déplacement « métonymique » évident sur : /aisselles dénudées/ ∽ /cheveux mouillés/, tous les objets entre barres droites étant des syntagmes construits ou composés à partir des signes minimaux dont nous avons fait état plus haut. Même « métaphoricité » du reste, dans la représentation du creux entre les seins *valant pour* sillon fessier.

Il ne serait pas difficile alors au SIDMOL de rendre raison des faits « plastiques », – parallélisme des courbes, alternances et positions ombre/lumière : tout cela serait justement analogue aux figures de l'expression : assonances, allitérations. Nous aurions donc produit avec lui un cadre théorique qui marche, ma foi, à merveille : unités minimales à double face, interprétance et syntagmatique (pas linéaire certes), connotations et modulations rhétoriques, constitution d'un message complexe autour du sujet « femme comme *sex-machine* ». La séquence des prédicats pouvant se traduire sans trop de peine dans des énoncés langagiers confirmerait le fait que nous avons ici une sorte de *texte* à grande lisibilité, texte semblable en tout point à un texte linguistique, à la substitution près d'unités iconiques aux unités sémiques (ou signiques)...

Je crois n'avoir pas caricaturé et je pense que nous sommes nous-mêmes, -- nous, sémioticiens formés en linguistique ou en critique littéraire – trop marqués par le modèle du langage articulé pour pouvoir dire d'emblée que la prétendue description ci-dessus est (ce qu'elle est) un pur galimatias, que la transposition est littéralement *aberrante*, que loin d'éclairer son objet, elle l'occulte en produisant des fétiches linguistiques oiseux.

Il faut non seulement abandonner ici toute référence au modèle linguistique, mais c'est seulement du moment où on aura rendu raison de l'objet qu'on a sous les yeux avec un modèle adéquat qu'on pourra revenir aux langues naturelles et à leurs modèles cognitifs, et en critiquer certains présupposés.

LA PHOTO COMME SIMULACRE

J'en reviens donc à ma notion de simulacre, répétant qu'il s'agit bien ici d'un simulacre de la-manière-dont-le-monde-est-connu qui (par quelque équivoque simple) se donne également comme un simulacre du monde (d'un segment du monde), tel qu'il existerait antérieurement à la manière dont il est connu.

Cela peut se dire en termes plus intuitifs : la photo est à la fois prédication idéologique, mais elle est aussi la représentation, obtenue par des moyens mécaniques, d'une *vraie* femme qui a réellement posé devant un objectif. Je crois qu'il faut conserver le mot d'ANALOGIE pour désigner des *constructions gnoséologiques* et non cette relation mécanique qui unit un simulacre et l'objet simulacré que je nommerai dès lors *simulation*.

Le produit de cette simulation ne comporte qu'une *seule* qualité sémiotique qui lui soit propre : une indication notifiante comme embrayeur de signification, c'est-à-dire l'équivalent de l'énoncé : « Ici il y a de la signification ». En termes phénoménologiques, inadéquats pour notre travail, on parlerait d'une « intentionnalité » engendrée par l'acte même de *simulation*.

Cette indication notifiante se combine (et se confond) avec les caractères qui définissent ce simulacre particulier par opposition au segment du monde qu'il simule, au modèle qu'il reproduit :

1) Il est fixe, il ne bouge pas ; il se prête à une observation continue et multiple.

2) Il sélectionne, en raison de contraintes techniques matérielles, certains traits perceptibles de l'objet reproduit, mais non tous : le noir et blanc s'oppose à la couleur, les deux dimensions du simulacre aux trois dimensions du modèle.

3) Il est reproductible et dès lors, toujours sur le plan matériel, constitue un vecteur « pratique » de simulation de la manière dont-le-sujet-idéologique-connaît-le-monde.

À l'exception de l'indication notifiante, tout ceci est pourtant indifférent en soi, de façon directe, à la sémiologie.

Faisons attention ici : les contraintes matérielles du simulacre, entraînant l'effacement d'un certain potentiel perceptible du modèle, entraînent du même coup – mais indirectement – l'effacement partiel de ce que nous retiendrons plus tard comme « de la signification ». Plus ma perception d'un objet devient floue, parce que je m'en éloigne par exemple, plus les éléments de signification s'en effacent aussi. Mais il importe de dire que cette modification des interprétances sémiotiques ne se fait pas de façon directe, c'est-à-dire qu'elle n'est pas sémiotique par elle-même. Prétendre le contraire reviendrait à dire que la sémiosis d'un texte littéraire se modifie, à mesure que j'éloigne le *texte matériel* de mes yeux et que les lettres s'embrouillent ! Que la sémiosis d'un énoncé oral s'altère à mesure que, son destinataire s'éloignant, le « message », ou plutôt les sons matériels, traversent des couches d'air de plus en plus denses. Je ne crois pas que personne prétende cela, car cela reviendrait une fois de plus à con-

fondre le *signal* et le *signe*, la signification et les aléas de la perception – on peut dire ici que tout l'effort de la linguistique du xxᵉ
siècle a été d'empêcher cette confusion.

Ainsi donc nous voici d'accord : l'objet
qu'on a sous les yeux présente bien des traits spécifiques en tant
qu'il est un simulacre ; il n'a rien de spécifique du point de vue sémiotique à l'exception d'une indication notifiante.

OÙ EST LE SÉMIOTIQUE ?

Mais où chercher le lieu de la sémiotique,
qui, apparemment n'est pas *dans* le simulacre en lui-même. Ici je
rappelle, car à ce point le parallélisme linguistique conserve sa légitimité, que le linguiste,8ce n'est pas quelqu'un qui *invente* le
procès de signification, la grammaire, le code linguistique. Le linguiste ne construit pas une science (au contraire du zoologiste, ou
du botaniste), il rend raison, en la systématisant d'une science qui
est déjà-là. Cette science, aussi complexe par définition que la
science seconde appelée linguistique, s'appelle le langage, tel que
tout enfant normal la possède dans toute sa complexité dès l'âge
de quatre ans. Est-ce à dire que l'enfant de quatre ans est un linguiste sans le savoir ? Si l'on se bornait à mettre en parallèle ce
qu'il sait d'une certaine manière à cet âge tendre et ce que le linguiste sait d'une autre manière à un âge avancé, il faudrait répondre « oui » et méditer sur l'absurdité de la connaissance systématique : *ars longa, vita brevis* ! Mais on répondra que tout est dans le
« d'une certaine manière », que le savoir préréflexif de l'enfant dif-
fère de celui du savant, qui sait qu'il sait (idéalement). Cela est
vrai, et cela veut dire, avec notre photo de pin up, qu'il ne s'agit
pas d'en construire la signification, mais d'en reconstruire axiomatiquement la manière dont un quidam non sémioticien « lit » le
simulacre, ou mieux, *à travers* le simulacre, comprend une des
manières dont-le-monde-est-connu. Ici nous nous heurtons au fétichisme du sujet et, puisque nous avons accepté de traverser les
principales difficultés de toute gnoséologie sociale, nous n'allons
pas esquiver celui-ci.

OBJECTION N° 1 : CODE ET SUBJECTIVITÉ

La première objection que l'on entend souvent est qu'il y a ici bien de la différence entre le sujet-parlant linguistique soumis aux contraintes de *la* grammaire, de *la* lexicologie, de *la* phonologie de sa langue, et l'observateur des photos de pin up lequel, dira-t-on, peut y percevoir à peu près n'importe quoi, et, en pratique peut *en* parler à peu près n'importe comment, en n'importe quels termes.

Or ici, il y a une double illusion et qui tient au fétichisme linguistique même. Le sujet parlant est un fantasme logique produit par le fétichisme du code (de « la langue »). Le linguiste, ayant construit sur une base moniste et axiomatique une grammaire, y soumet, par une rétroaction fantasmatique, les usagers de la parole. Autrefois de façon normative, aujourd'hui selon des degrés de sophistication descriptive qui peuvent aller jusqu'au relativisme éclaté de la socio-linguistique de W. Labov.

Faute de pouvoir redéfinir le problème de façon positive, posons que l'usager de la langue agit selon des contraintes *plus* fluides, selon une *plus* grande polyvalence et dans un champ de pratiques *moins* réductibles que les modèles linguistiques ne parviendront jamais à en rendre compte. Le concept de « langue » est une fétichisation du fait que l'usage de la parole suppose un degré de communication et de coïntelligibilité (mais ce fétiche rejette dans l'obscurité de l'accidentel et de l'anormal, le degré de non-communication et de conflit qui est, en fait, consubstantiel à toute prise de parole).

Ainsi pouvons-nous suggérer (en synthétisant plusieurs réflexions qui vont de Bakhtine-Volochinov, *1929*, à L.-J. Calvet, *1975* et à P. Bourdieu, *1980* et publications ultérieures) que la pratique du langage n'est pas seulement *moins* soumise aux contraintes prétendues d'un code, mais qu'elle est en fait soumise différemment à une topologie de tensions contradictoires, antagonistes, surdéterminées par de l'hégémonie, lesquelles produisent dans la parole, l'illusion ou le spectre d'un code.

L'autre illusion complémentaire était que, de la photo de pin up, *on* pouvait dire n'importe quoi. D'une part nous avions le personnage allégorique baptisé Sujet Parlant, ici *on* nous offre un « on » anonyme. Eh bien, non, – non plus, la sémiosis de la photo, son décryptage, sont bel et bien soumis à des contraintes gnoséologiques, mais elles aussi fluctuantes, antagonistes et contradictoires. Cette photo tend même à imposer à son destinataire un jeu de significations monovalentes : c'est bien cela qu'instinctivement nous appelons *de l'idéologie*. À cet égard la sémiosis de la photo ne doit pas être *très* différente de la semiosis d'un énoncé langagier (à cet égard seulement). – Oui, dira-t-on, mais le Papou ! Montrez cette photo à un Papou, il y verra de toutes autres choses que ce que nous y voyons. Justement, les Papous ont bon dos. Ici encore, l'objection vient renforcer l'argumentation. Si le Papou n'y voit que du feu, c'est bien, il me semble, que 1) la photo n'est pas seulement un simulacre du « monde réel », 2) que la « lecture » de la photo est soumise à un savoir (qui n'est certes pas, comme le veut le fétichisme linguistique, un ensemble *fini* d'unités combiné à un ensemble *fini* et coacceptable de règles d'organisation). Un code qui n'est pas un code, donc ; qui n'est ni une contrainte normative ni un aléatoire subjectif. Hélas, pour les amateurs du tiers-exclu (et les linguistes sont dans la mouvance d'Aristote : voir Saussure, voir Chomsky), nous voici tombés dans une critique à la *Ni-ni* : elle ne revient pas à épouser une position moyenne, à parler de « contraintes fluides et relatives », ce qui serait en effet tomber du fétichisme dans le gâtisme. Elle revient très exactement à ceci, que le lieu où opère le sémioticien critique est un lieu où l'idée d'une pure subjectivité comme l'idée d'une norme monovalente sont toutes deux inacceptables. C'est cela le social, c'est ça la socialité, un espace de pratiques en contradiction relative, et parmi ces pratiques, deux pratiques fétichistes, celles de l'individualisme solipsiste (« pure subjectivité ») et celle de la transcendance de la Loi – plus toutes sortes de fétiches résiduels : psychologisme, sociologisme, relativisme, technologisme...

Ainsi donc la photo, ce simulacre, ne retient de la signification – une signification qui à un moment donné dans le temps réel s'est trouvée aussi bien présente *sur* le modèle –

que parce qu'elle est inscrite dans un état de société, dans une détermination socio-historique. Toute seule, isolée de cette détermination, pour les archéologues de l'avenir, cette photo ne sera plus
document, mais monument (Foucault). Pour les historiens du
lointain avenir, la photo ne signifiera plus rien, mais ce quelque
chose de transhistorique qu'est son indication notifiante devrait
susciter chez lesdits archéologues une volonté de savoir, un syn-
drome de Champollion, une volonté de reconstituer (à tout risque) ce que furent ses déterminations socio-historiques mêmes.

OBJECTION N⁰ 2 : AUTONOMIE DU LIBIDINAL

Ici j'entends encore une objection qui est
l'*ultima ratio* de l'individualisme : ce simulacre, en dehors de sa
valeur sémiotique, n'aurait-il pas quelque fonction *libidinale* ?
Après tout, une photo de pin up c'est un objet à usage bien précis
(bien précis ?) qui est censé susciter chez l'observateur mâle une
certaine titillation sexuelle. Et du seul fait qu'il s'agit de l'observateur *mâle*, d'une libido mâle, on se trouverait déjà ailleurs que
dans le social... D'où vient alors, dirais-je, que les photos de pin
up de la Belle Époque, les belles dames en bustier et dessous af-
friolants, les Belle Otero et Liane de Pougy ne suscitent plus chez
nous, modernes de la libido, qu'un sourire incrédule ? N'était
l'évidence du témoignage photographique, on aurait peine à
croire que ces femmes ait pu passer pour belles, qu'elles aient pu
être les *sex-symbols* de ces temps reculés. N'est-ce pas que le libidinal, loin de s'opposer au devenir idéologique, s'y détermine ? Et
notre *pin up*, parue dans les journaux en 1978, ne s'éloigne-t-elle
pas déjà vertigineusement dans le « temps idéologique » ? Son efficace, ses « charmes », son envoûtement, ne sont-ils pas déjà quelque peu datés ? Et sans doute, en apparence, la photo de pin up
élit son destinataire, mâle. Mais ce n'est qu'en apparence : dans le
moment idéologique où elle s'inscrit, il faut dire à la fois : 1) que
son destinataire idéal n'est pas seulement mâle (elle est, n'est-il
pas vrai, « un peu vulgaire ») et 2) que ses destinataires, mâles ou
femelles, se constituent comme destinataires de façon différente,

différentielle, dans le *même* espace idéologique. Hors cet espace
idéologique, elle ne prédique plus grand chose, elle ne parle plus,
à personne. Une dernière remarque : le discours analytique que
nous construisons (nous y arrivons) *autour* de la pin up ne parle
pas seulement de femmes, ou d'objets sexuels, il ne parvient à en
parler que parce qu'il parle aussi d'autres choses, de plages, de vacances (j'entends : d'idéologies de la plage et des vacances), de
Club Méditerranée et d'exotisme (de filles exotiques). Le sujet apparent (comme on parle de « sujet » en peinture) qu'est la pin up
s'inscrit dans un champ symbolique qui excède sa fonction de
symbole sexuel ou plutôt elle n'occupe cette fonction que par son
insertion dans une *intersymbolicité étendue*.

OBJECTION N° 3 : LE PLASTIQUE

J'allais passer à l'analyse, mais j'entends
une nouvelle objection préalable : il ne s'agit plus d'isoler le libidinal, mais le fait plastique : disons pour faire rapide, les courbes et
leurs parallélismes, autrement dit les « géométrismes » qui semblent propres à la photo comme objet travaillé et intentionnel. Ma
réponse sera ici : 1) qu'ils ne sont pas *propres* à la photo, – si je
peux les isoler par référence à des métaformes géométriques et si
la photo les a accentués, c'est que, pour les accentuer, la pratique
photographique les *connaît* dans le modèle. Autrement dit, le
photographe ne connaît pas seulement le monde d'une certaine
manière (en tant qu'il est un opérateur idéologique), il connaît,
par une opération seconde, la manière dont il connaît le monde.
En cela, l'accentuation du fait plastique ne fait que répéter par
une opération connaissante ancillaire la manière dont l'idéologie
connaît le monde, et, partant, la manière dont *une* idéologie connaît les femmes comme des objets à haute résolution plastique.
Certains appellent « connotation » ce redoublement, mais c'est un
risque, dans la mesure où « connotation » reste *connoté*, par référence à Hjelmslev, dans la mouvance du modèle linguistique
hjelmslevien. En raison de ce risque, j'abandonne le mot de connotation et je conserve le mot, moins marqué, de *redoublement*.
2) Ce redoublement est d'ordre sémiotique ; il opère quelque

chose dans la signification, mais on ne peut *isoler* les opérations connotatives (en une prétendue « sémiotique de la connotation ») et encore moins concevoir ces opérations comme spécifiques au simulacre iconique comme tel. Elles ne prennent de signification, comme redoublement d'une autre, que par rapport à celle-ci et, épicycles de celle-ci, elles ne font que la resignaler. Le redoublement peut le faire, en ceci que la manière dont il connaît la manière dont le monde est connu n'est pas la seule possible, ce qui conduit à reporter dans les opérations de redoublement le concept sémiotique essentiel de *différence*, appliqué antérieurement aux opérations cognitives originelles.

SIGNIFICATION (ET) IDÉOLOGIE

Parler de la photo c'est *comme* parler du modèle qui a posé (aux caractères près du simulacre), mais la signification n'est ni dans le modèle ni dans ses avatars simulacriques ; elle lui est logiquement antérieure et historiquement codéterminante.

La signification est ici accompagnée d'une grande *dénégation* idéologique qui est le propre de la « photo d'art » – La « photo d'art » se présente en première apparence comme la rencontre inattendue du plastique et du réalisme, du Beau transcendant et du monde réel, c'est-à-dire comme négation et dépassement de l'idéologie.

Le parcours du simulacre à l'objet ou l'être représenté relève d'analogies perceptibles graduelles : il ne pose aucun problème sémiotique ; des taches blanches et noires à l'objet perçu (œil, bouche, cheveux, nez) ne se pose rien qui signifie. La signification, l'idéologie ne va pas se construire de ces unités cognitives : elle émane de leur coïntelligibilité, ou – il faut retourner le problème – *leur coïntelligibilité ne se constitue que parce que de l'hégémonie idéologique s'y projette.* Et elle s'y projette de telle manière à rendre réciproquement interprétables des segments du perceptible.

Ainsi à un niveau très neutre : 1) Le bikini interprète l'arrière-fond comme plage (ce qu'a compris le commentateur dans le cartouche en bas à gauche de la photo). Ainsi, pour anticiper sur des analyses plus complexes, 2) /Bouche entr'ouverte/interprète et est interprété par/regard en coin/, mais tous deux ne prennent sens que par rapport à une idéologie synthétique, coextensive à l'objet perçu, centrée sur la femme comme *sex machine*.

Loin de trouver ici des unités qui s'additionnent pour faire sens, il nous faut poser des effets de sens globaux qui se résolvent et s'attachent à des segments coïntelligibles, isotopes. En soi et en tant qu'*indice*, /bouche entr'ouverte/ne signifie presque rien ; cela peut indiquer, trahir, faire comprendre toutes sortes de choses ; certes, /regard en coin/ + /cambrure des reins/ + /bras ouverts/ + /aisselles visibles/ + /chevelure humide/ semblent venir restreindre chaque fois le champ de l'incertitude consubstantiel à chaque élément pris isolément ; mais c'est le contraire : c'est parce qu'il y a un préconstruit idéologique global que ces traits ne s'isolent pas, mais se mettent en perspective, qu'ils sont rendus isotopes. Les unités minimales que la logique de la différence nous permettent de constituer (regard en coin *vs* regard direct ; bouche fermée *vs* bouche entr'ouverte ; bras levés *vs* bras abaissés), loin d'être des sèmes faisant sens dans un paradigme (drapeau rouge *vs* vert *vs* jaune) constituent des éléments à signification latente, indéterminée, que seule l'imposition globale de l'« idéologie » vient actualiser et codéterminer.

Autre élément de la semiosis : le « mouillé » (aspect des cheveux, gouttelettes sur les reins). Ce mouillé est soumis à *deux* interprétances ; l'une sur la ligne isotope de /bikini/, /fond de plage/, semble produire l'énoncé, la fiction narrative : « elle sort de l'eau ». L'autre, sur une isotopie érotique de « moiteur sensuelle » est à interpréter par des faits d'analogie (entendue comme construction cognitive établissant des ressemblances et des ersatz ou des substitutions) : selon la logique « sexe caché/aisselles montrées », « sillon fessier (non montré)/creux des seins (montré) » et – par une relation plus équivoque, à la fois indicielle (selon une narration conjecturale) et analogique (selon une cognition substitutive) – « déchirure du slip/violence d'Éros ».

Il faut bien rappeler ici que ces relations analogiques ne sont pas « naturelles » mais aussi construites, à travers tout un réseau de relais culturels, parce que la semiosis travaille toujours sur de la semiosis déjà-là. On doit reconnaître comme culturelle l'analogie « creux des seins/sillons fessier » et le redoublement connotatif montré/caché, qui la resignale. Il est absolument inutile de revenir ici avec les termes de la rhétorique et de voir dans ce double sens du « mouillé » une syllepse oratoire ! Le « mouillé » se trouve à l'intersection de deux ensembles pratico-cognitifs construits, l'ensemble « baignade-plage-etc. » et l'ensemble « moiteur sexuelle – érotisme » ; seulement évidemment l'un des deux est, dans la TOPOLOGIE IDÉOLOGIQUE, plus innocent (et connotativement moins caché) que l'autre. Autrement dit, le redoublement resignale le *statut* idéologique des deux ensembles : si dans l'idéologie, la sexualité est à la fois fascinante et tabouée, dans son redoublement perceptible le sexe (féminin) est à la fois caché/montré, refusé/offert, la perversion du désir consistant à trouver une satisfaction seconde dans cette ambivalence, qui rend le simulacre décent/indécent, innocent/pervers et, – une réinterprétance nous ramenant au *sujet* – énonce que la femme est innocente/perverse, fascinante/tabouée, chaste/indécente.

LES IDÉOLOGÈMES COMME IMPOSITIONS GLOBALES

Par cette double validation de la semiosis et de ses redoublements (la Femme cache/montre, la photo cache/montre), nous pouvons alors énoncer les propositions idéologiques globales qui rendent coïntelligibles (isotopes) les unités minimales et leurs relations indicielles ou analogiques.

Nous appellerons idéologèmes ces propositions globales qui sont les points de départ logiques de l'analyse, et non les « monèmes » du perceptible. Ces idéologèmes sont à

construire comme des propositions sujet/prédicat, étant entendu
que le sujet est construit par la cooccurrence des prédicats.

        – Le sexe féminin est fascinant/taboué.

        – La séduction des femmes est innocente/
           perverse,

        – La femme est nature/culture.

        Tels sont les trois idéologèmes paradoxaux
(à oxymoron) que nous relevons comme noyau de signifiance.

        (*Note en passant* : Il serait temps de dire
que cette transcription verbale de la *semiosis* ne nous paraît pas
aller de soi ; nous ne pensons pas que la sémantique des langues
naturelles soit isomorphe aux opérations idéologiques, ni que les
langues soient des équivalents universels des transactions symboliques. C'est donc parce qu'il n'y a pas moyen de faire autrement
et en acceptant toutes réserves sur la formulation, que nous trans-
crivons « avec des mots ».)

        Chaque idéologème est soumis à des redou-
blements qui le resignalent en le diffusant en des lieux particuliers
du simulacre. Ainsi on a vu plus haut une partie de ces redoublements pour « fascinant/taboué ». Dans la mesure où la semiosis
opère sur un monde où il y a déjà la signification (qu'elle redou-
ble), il faut rappeler que le *bikini*, en tant qu'objet vestimentaire,
est déjà un redoublement (culturel) de l'énoncé « montré/caché »,
« fascinant/taboué ». Mais ce qui est dit du bikini doit être dit de
la même manière de la femme elle-même, de la femme « réelle » :
elle est aussi connue idéologiquement, elle est fabriquée comme
« être naturel » à l'instar du bikini : l'analogon du creux des seins
($\sim$ sillon fessier), la chevelure comme dispositif qui montre/
cache sont identiquement *construits* – à moins qu'on ne croie que
la femme est, dans la transcendance de la Nature, déjà un objet
sémiotique (et plastique) créé par un démiurge pornographe, une
machine-à-représentation dont les cils abondants, la chevelure
annelée, les courbes des hanches et de la poitrine porteraient un
sens immanent.

        Pour l'énoncé : « (La femme est) nature $\vee$
culture », le redoublement interprétant s'énoncera comme « har-

monie √ négligée » ; à l'harmonie appartient l'ensemble des faits
plastiques : dominance des courbes à cambrure faible, équilibre
des ombres et des lumières, etc. Au négligé se combinent les prédicats primitivistes et exotiques : chevelure longue, à l'abandon,
en désordre, type physique méditerranéen ou subtropical, mais
aussi (par la polysémie immanente au caractère *global* de la signification idéologique) tranquille indécence de la provocation, absence d'inhibition puritaine du monde urbanisé, abandon et pas-
sivité suggestives. Puisque la femme idéologique est construite de
prédicats paradoxaux, ceux-ci sont réinterprétés dans la polypho-
nie même des « narrations » possibles qu'elle permet. On peut lire
ici, *soit* « prends-moi, je suis à toi, on verra si tu sauras me satisfaire », *soit*, suivant une autre ligne diégétique, « euphorie après
l'amour », « la belle bête femelle satisfaite et repue » – et enfin, car
l'idéologie, elle, ne fonctionne pas dans le tiers-exclu ni dans le
principe de non-contradiction, les deux à la fois, connotant l'en-
durance sensuelle que l'idéologie attribue à la Femme, *lassata sed*
non satiata, lasse de plaisir sensuel, mais toujours à satisfaire,
prête aux jeux du sexe éternellement. Cette troisième hypothèse
est la « meilleure », redoublement du prédicat initial (en outre elle
est confirmée par ce que nous savons de l'« histoire lente » des
idéologies de la Femme).

On voit combien loin nous sommes du mo-
dèle linguistique. Les unités signifiantes sont des idéologèmes,
prédications complexes produites dans un réseau de différences.
La « séduction féminine » n'est pas un *signifié*, ni rien de semblable. C'est une classe englobante préconstruite de classes de per-
cepts dont aucun ne s'isole en unité signifiante autosuffisante.
Nous avons ici un système différentiel planaire, *à une face*, où la
classe des /regards en coin/ appartient à la fois à la classe
des /stimuli de séduction/ tout en appartenant aussi à la
classe /sournoiserie, hypocrisie/ :

Il s'agit bien toujours de classes et d'inter-
sections de classes, c'est-à-dire d'idéologie, et non de ces regards
mêmes, tels qu'ils préexisteraient à leur classement signifiant.
Cette coïnclusion de classes est surdéterminée (mise en interpré-

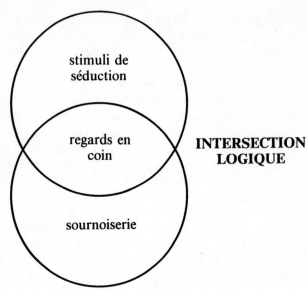

INTERSECTION LOGIQUE

tance) par le topos idéologique « la femme est innocente $\sqrt{}$ perverse ; elle est provocation $\sqrt{}$ sournoise » dont nous supposons qu'il appartient à un ensemble isotope déterminant le sujet fictif « femme », c'est-à-dire ce que nous appellerons *une idéologie.*

« UNE » IDÉOLOGIE

Nous désignerons comme *une* idéologie un ensemble, cooccurrent et coacceptable pour un moment historique et social donné, d'idéologèmes, c'est-à-dire de prédicats construisant un sujet logique unique, -- que ce sujet soit, par exemple, « les Juifs », « la mission de la France », « l'instinct maternel » ou « la morale sexuelle ». Il faut bien comprendre que le sujet que l'idéologie construit comme substantiel, comme toujours-déjà-là, ne préexiste pas à sa prédication, et que la compatibilité des prédicats n'est liée à aucune règle logique : leur « isotopie », leur « coacceptabilité » est l'effet global de l'idéologie même. Le sujet idéologique « les Juifs » est construit dans les idéologies antisémites d'une « autre manière » que dans les idéologies sionistes ! Dans les ensembles idéologiques à consistance isotopique forte (*e.g.* antisémitisme) on identifiera justement – par une intuition métaphorique – comme « paranoïaque », l'attribution d'un sujet substantiel (la « conspiration » des Sages de Sion) à la séquence interminable de prédicats où se repère l'effet de dissolution du sujet historique propre à l'axiomatique capitaliste. Si les idéologies antisémites sont fréquemment taxées de « paranoïaques » c'est qu'elles semblent justement constituer « leur » sujet en faisant fi, notamment, de la non-contradiction : qui manipule la bourse à Wall Street, qui sont les fauteurs de guerre, qui est derrière le bolchevisme, etc. ? Réponse unique : le Juif, – d'où la convergence de cette prédication dans le « mythe » de la conspiration (des Sages de Sion) comme métarégulation de ce vaste regroupement. Ces ensembles prédicatifs sont contigus d'autres avec lesquels ils peuvent entrer en résonance. La prédication idéologique construite sur les femmes comme « êtres paradoxaux » dans la photo de pin up entre en convergence avec une axiologie du « primitivisme » monnayée en valorisation des loisirs programmés : plage, mers du Sud, libération des interdits et Club Med...

De telles convergences tendent à construire, au moyen de la topique idéologique, des segments narratifs, un récit implicite dont nous avons donné quelques exemples relatifs à notre photo.

TYPOLOGIE CULTURELLE DES SIMULATIONS

L'acceptabilité de la photo de pin up, tout en étant fondamentalement celle de son idéologie et de la naturalisation de celle-ci, se détermine également dans diverses traditions ou conventions qui dans le cas présent relèvent des formes du « représentable », notamment du sous-ensemble diffus du « photographiable » et, dans cet ensemble, des contraintes typologiques propres au genre « pin up », variables en courte durée cette fois (par quoi nous savons de science certaine et au premier coup d'œil que cette photo ne date pas des années cinquante ou soixante – mais ici interfèrent les segments de simulacres qu'elle reproduit : le maquillage, les vêtements).

Le « représentable » ne détermine pas quels segments de la manière-dont-le-monde-est connu peuvent être simulacrés, mais *où* (en quels lieux institutionnels) et *comment* (par quelles conventions). Nous avons ici : 1) le caractère éminemment « représentable » du corps féminin, inscrit dans la longue durée des axiomes esthétiques. 2) Le « sujet » au sens banal de tradition picturale : ainsi le modèle « buste de trois quarts ». 3) Ensuite, une série de prescriptions et d'interdits produisant une catégorie, un genre (comme on dit en effet « peinture de genre ») contiguë à d'autres dans le champ de la représentation sociale.

De telles différences dans les prescriptions et les contraintes (qui font que le représentable n'est pas un, mais est distinctif) font de la photo, en tant qu'objet socio-culturel, un *distincteur esthétique* qui permet à l'observateur de se distinguer, de faire preuve de distinction (Bourdieu).

La photo de pin up ne relève pas d'une esthétique très *distinguée*, c'est-à-dire d'une esthétique par privation de satisfaction sensuelle immédiate (T.W. Adorno). La photo de pin up relève du *Kitsch* : elle sursignifie sa lisibilité idéologique, elle surenchérit sur les redoublements de celle-ci dans le « plastique », elle satisfait *trop* positivement aux conventions culturelles générales et particulières : elle entre axiomatiquement en contradiction à tous ces égards avec toute esthétique « distinguée », qui pour se distinguer doit se priver de tous ces plaisirs – plaisir libidinal, plaisir idéologique comme réitération du prévisible (*reiterazione dell' atteso*, G. Celati).

C'est intéressant, en ceci qu'en sélectionnant dans l'ordre de la distinction esthétique son destinataire social, la photo (la pratique idéologique de la photo) prédétermine aussi sa *cible* idéologique. Chacun a l'idéologie qu'il peut s'offrir avec son capital culturel. Nous ne sommes pas ici dans l'innocence de *la* (théorie de la) communication, mais dans des réseaux de circulation de la signifiance, dans une économie de la production symbolique.

CIRCULATION DE L'IDÉOLOGIE

De même que dans l'analyse interne du message il nous a fallu distinguer le sujet logique produit par

l'isotopie des prédicats, d'une fiction du sujet substantiel, – de
même devons-nous, pour parler des conditions d'énonciation et
de circulation barrer le sujet, dans l'énoncé : « le simulacre reproduit la manière dont le sujet idéologique connaît le monde », car il
s'agit d'un sujet qui ne s'identifie qu'à travers la manière dont
« il » connaît le monde, en ceci que cette manière n'est pas la seule
dont le monde peut être connu. L'« idéologue sexiste » qui a
conçu cette photo de pin up est également conçu par elle, il est en-
gendré par sa prédication. L'antisémitisme ne produit pas seulement un sujet du discours (le Juif), mais un sujet de l'énonciation
(l'Antisémite, qui peut dire, moi-moi, un vrai Français, un bon
Aryen – ce moi se constituant par « carambolage »). Marx écrit,
au *Manifeste communiste*, «*Die Bourgeoisie schafft sich eine Welt
nach ihrem eigenen Bilde*» : « la bourgeoisie se crée un monde à
sa propre image ». – Il faut lire ici une ironisation à la Feuerbach :
Dieu créa l'homme à sa propre image (*Gen*, I, 26) ; non : l'homme
créa Dieu à sa propre image et s'aliéna face à son « fétiche ». Ou,
comme dit Maupassant (*le Horla*) : « Dieu créa l'homme à sa propre image, mais l'homme le lui a bien rendu ! » Ainsi fait toute
prédication idéologique, elle crée un sujet de discours pour se
constituer fictivement comme sujet du monde. Dans la circulation des idéologèmes et de leurs simulacres (paroles, écrits, images), il n'y a pas à en appeler au schéma de la communication simple, avec un émetteur A faisant transiter un message (m) vers un
destinataire B,

$$A \qquad m \qquad B,$$

          Il y a circulation des configurations idéolo-
giques – toujours déjà-là mais toujours adaptables – entre des relais qui s'instaurent fictivement comme sujets connaissants. *Mu-
tatis mutandis*, ces relais correspondent au circuit même de la
photo qui a été conçue et reconçue, décryptée, par le photographe, par le retoucheur, par l'agent publicitaire, par l'employé du
journal, par le lecteur... S'il y a quelque raison de considérer parfois Marx et Freud comme complémentaires, c'est probablement
ici. Ils semblent, en gros, se partager les deux moitiés du problème : Marx dit comment les idéologies, selon les praxis propres
aux groupes sociaux, connaissent de façon antagoniste le monde.

Freud nous apprend comment l'idéologie, en s'évertuant à connaître le monde, s'évertue à constituer le sujet qui dit qu'il connaît le monde, qui s'*identifie* par la manière dont il se connaît dans le monde (entre Papa et Maman). Œdipe, devant le Sphinx, se connaît en connaissant le monde, car il peut répondre au Sphinx : « l'homme », ou bien : « C'est moi ». Mais le vieux mythe tragique ajoute que l'Homme-aux-pieds-gonflés (Œdi-pous) ne connaît pas son nom véritable, et ne connaît en fin de compte ni père ni mère ! L'épisode du Sphinx et l'épisode de Thèbes c'est le drame de l'idéologue non critique, celui qui attribue un sujet unique aux trois prédicats singulièrement incohérents que le Sphinx lui présente. Il est vrai que les Grecs nous offrent aussi le contre-mythe (les mythologies, c'est comme les auberges espagnoles, on y mange ce qu'on y apporte) : celui d'Ulysse, qui a assez d'esprit pour répondre « Oudèis », *personne*, à la question du Cyclope et qui poursuit son bourlingage schizoïde sur les mers de la modernité.

Il convient que je m'arrête ici car mon corps/corpus de pin up ne suffit pas à soutenir ces analyses intuitives et sommaires d'usager de la doxologie sociale. En effet, ce n'est ni d'*un* exemple ni d'un quelconque corpus restreint, emprunté à telles publications, à tel genre photographique conventionnel, qu'il faudrait partir. La seule étude sémiotique possible qui soit susceptible de valider et d'illustrer les intuitions de l'analyste, serait une étude extensive de la *totalité du discours social*, une étude (échantillonnaire évidemment) de la totalité des produits de la sphère symbolique en un moment donné d'un état de société donné. S'il s'agit de notre société contemporaine, – immergés que nous sommes dans sa production signifiante, dans son intersemiosis diffuse, – nous pouvons nous laisser parfois guider par l'intuition de l'usager (mais l'usager a ses taches aveugles, ses distorsions, ses équations personnelles). Si l'on veut s'entourer de garanties systématiques, il faut poser que la signification d'un objet ou d'une classe d'objets ne résulte que de leur position dans l'interaction symbolique globale qui organise – avec ses polarisations et ses antagonismes et ses résultantes hégémoniques – toute la gnoséologie sociale, celle des *habitus* (de classe, de sexe), des comportements (kinésiques, proxémiques) et des symboles objectivés (architectures, vêtements, images, textes). S'il est malaisé méthodologiquement d'embrasser ce *tout* ou de fixer les échelles de réduction d'échantillonnage possibles, il est certain en tout cas que toute étude sectorielle, toute disjonction de la *semiosis* des artefacts de *l'hysteresis* des *habitus* et des pratiques inscrits sur le corps des agents sociaux ne peut que produire du fétichisme et du statisme.

La semiosis des simulacres ne se doit pas distinguer radicalement de la semiosis des *habitus*, des comportements des usages sociaux, des styles de vie : tout au plus, tend-elle dans bien des cas à en renforcer les lignes de corrélations les plus conformes à l'hégémonie (à stéréotyper) ; ou encore les simulacres produits dans un état de société tendront à monter en épingle des formes de gestualité, de comportement plus archaïques, à occulter les tendances centrifuges qui dissolvent l'entropie des *hystéresis* sociales. C'est bien cela qui est le plus ennuyeux chez les sémioticiens de l'image : ils opèrent avec un modèle inadéquat, avec l'axiome que *la* signification est immanente au corpus d'artefacts qu'ils ont constitué, mais aussi avec le passage en fraude dans leurs descriptions d'intuitions élémentaires sur l'interaction sociale, sur l'intersemiosis mouvante où les migrations d'idéologèmes se poursuivent. Ils regardent avec hauteur le travail empiriste des sociologues qui – fort ignorants à leur gré de la sémiotique, des « signifiants » et « signifiés analogiques » de l'« icône » – se bornent à travailler sur des corpus extensifs où les artefacts (publicitaires par exemple) ne sont pas séparés des *habitus* et comportements des individus « réels » ; les sociologues se bornent à produire des analyses, contingentes et risquées, résultant d'informations cumulatives sur les faits sociaux. Autant dire qu'ils ne sont pas « scientifiques », déplorablement pas « scientifiques » au sens de l'objectivisme structuraliste. Je songe ici à un des excellents travaux de sociologie de l'image et nommément de la représentation publicitaire du corps féminin, aux États-Unis, *Gender Advertisements* (1976), une des dernières monographies d'Erving Goffman. Malgré des limitations à sa démarche (qu'on peut qualifier d'empiriste) et des limites aussi dans la masse des informations disponibles et dans leur mise en corrélation, Goffman offre précisément des choses à critiquer. On n'en dirait pas autant des sémiotiques iconiques structurales lesquelles dans bien des cas ne se servent pas de modèles heuristiques pour connaître le monde mais se servent de fragments appauvris du « monde » pour sacraliser leurs modèles théoriques.

Remarques diverses

L'IMAGE COMME FRAGMENT NARRATIF

Voyez la séquence du Quino, p. 115 : les douze figures qui la composent ne sont rendues comme *un* récit, malgré l'économie des données et les ellipses rhétoriques voulues, que parce que ce récit est partiellement préconstruit chez l'observateur : malgré les aléas de la verbalisation, *tout* observateur rend compte de ce récit en produisant un nombre d'énoncés de base identiques correspondant à l'essentiel de la logique narrative et rendant compte autant des éléments représentés que des éléments non représentés (le débit de boisson, les nombreux garçons de café, leur arrivée simultanée, etc.) Toute la stratégie de la « blague dessinée », parfois réduite à *un* dessin (ou à une séquence de deux ou trois), repose sur la possibilité non équivoque qu'a *tout* déchiffreur (au cas contraire son effet comique serait aléatoire) de reconstituer autour d'elle un petit récit comportant un nombre de narrèmes X + 3, récit à la fois préconstruit et modulé de façon paradoxale (comique, satirique). C'est même dans la mesure où l'effet comique est toujours partiellement absent du dessin, tout en faisant partie du récit préconstruit, que l'effet de *Witz* se trouve connoté dans le décryptage actif de l'observateur. Si nous admettons que la blague, dans son économie de moyens, doit être lue de

façon fondamentalement identique par n'importe quel lecteur du magazine (à l'exception en effet de quelques « Papous » qui ne connaissent pas le « code ») ceci confirme le caractère intersubjectif et contraignant des idéologèmes évoqués. Aucune revue ne publierait des blagues dessinées si leur caractère de narration ultra-lacunaire ne permettait qu'à 60% des lecteurs, disons, d'en reconstituer la trame narrative. Nous ne prétendons pas pourtant que la semiosis des simulacres fixes passe toujours nécessairement par une narration implicite. Loin s'en faut. Cependant, nous tendrions à dire ceci : que tout idéologème, tout topos culturel peut se déployer en séquences narratives canoniques selon des règles simples, où ledit topos se trouve alors utilisé comme maxime du vraisemblable, réglant l'acceptabilité d'une succession d'événements (sans parler ici de l'interférence de subversions simples, rhétoriques de permutation, de redondance et de suppression, et de figements conventionnels sous forme de micro-récits typiques.) C'est ici, dans le caractère du dessin humoristique – à humour fondé sur une séquence « manifestement » lacunaire, – que nous pouvons assurer que la lecture des images s'opère dans notre société avec toute la rigueur, la monovalence et la validation intersubjective que nous reconnaissons d'ordinaire à la compréhension d'un énoncé linguistique (avec son fameux « code »). Et pourtant il n'y a pas derrière le dessin *un* code universel de l'imagerie dont nous pourrions établir la liste finie des unités et des règles. Comme c'est bizarre ! Et comme cela devrait embarrasser le linguiste !

SIGNES À DOUBLE FACE, SIGNIFICATION PLANAIRE

Revenons-en à certains aspects fondamentaux de la théorie du signe. Qu'entend-on par signes à *double face* ? – d'une part qu'une des faces ne peut logiquement *exister* sans être corrélée, et même plus INSTITUÉE par l'autre. Qu'un drapeau rouge, que la classe des D.R., n'est un signifiant que dans la mesure où elle correspond à la classe des signifiés « Baignade interdite ». Que sinon la classe des D.R. peut être conçue, mais dans une classification portant sur les objets de ce monde et – disons – seulement à titre de *garniture*, dans une séquence non structurée de drapelets rouge, jaune, vert, bleu, noir, violet et rose (disposés sur la plage en vue du bal du samedi soir). Raisonnement analogue pour la classe des messages « Baignade interdite » ; celle-ci ne peut être conçue comme *signifié* que dans la mesure où elle est manifestée par la classe des drapeaux rouges. – D'autre part et contradictoirement que rien de ce qui peut être dit de chacune de ces classes ne peut être dit de l'une et l'autre identiquement, hors le fait qu'elles sont arbitrairement corrélées. Que du signe /lokomotiv/ on peut dire : 1) en tant que signifiant qu'il a neuf phonèmes ; 2) en tant que signifié qu'il a huit roues. Ce n'est pas la même chose ! (Si « huit roues » forme un constituant sémantique de « locomotive ».)

Au contraire, on décrit dans ce livre des faits de signification à face unique ; cela revient à dire que le sens et sa manifestation sont structurés identiquement, qu'une différence est construite sur une *hylè* sans être rediffusée, rediférée en une structuration qui appellerait des traits pertinents différents. C'est en quoi la catégorie des *signes iconiques* n'a pas lieu d'être. Sans doute, toute image étant aussi un simulacre imparfait de l'objet représenté, l'image doit être distinguée en cela de cet objet. Mais justement *cela*, ce n'est pas la signification, c'est-à-dire une façon de structurer le monde, c'est de la simulation, une façon de le pourvoir de répliques. Ainsi, les systèmes à signes arbitraires à double face nous ont semblé un mauvais modèle pour développer une sémiotique. Les langues naturelles avec leurs stratifications de différences historiques partiellement *démotivées* (qui les font fondamentalement étrangères dans leur sémantique à des « systèmes de drapeaux ») constituent alors un point de départ encore pire, puisque cette démotivation historique fait l'objet, dans la linguistique, d'une large dénégation. Ce qui distingue sémiotiquement une image de l'objet représenté, c'est cette intentionnalité globale qui invite à traiter les différences qu'on y perçoit comme axiomatiques et jamais comme aléatoires. (Ce qui fait que, dans le monde, il serait possible, à titre d'hypothèse passablement extravagante, de traiter tous les traits différentiels de la pin up comme d'indices incertains : les bras relevés ? Elle se gratte l'occiput... Le

regard en coin ? Peut-être qu'elle louche...) L'indication notifiante de la photo invite à un déchiffrage axiomatique, isotopique,
maximal. Mais ce caractère ne suffit pas à instituer une catégorie
autonome isolant la semiosis perçue dans le simulacre de celle qui
s'applique à d'autres ensembles composés du monde empirique.

SIMULACRE ET CONVENTIONS SYSTÉMIQUES

Le parcours du simulacre au signe conven-
tionnel est, dans l'histoire, un phénomène graduel qui est illustré
notamment par ce que nous savons du passage du pictogramme à
la lettre :

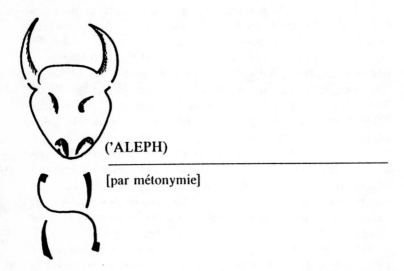

('ALEPH)

[par métonymie]

Le processus repose notamment sur une
simplification du tracé (un principe d'économie), et cette économie devient axiomatique lorsque le pictogramme est mis en *système*, c'est-à-dire en opposition avec un nombre fini d'unités à
fonction identique :

ᚼ   ᚭ   ᚷ   ᚋ

aleph,   beth,   ghimel,   daleth. . .

On voit ce qui se passe ici : c'est qu'il arrive un moment (soyons aussi naïf que possible) où ce qui est dit de la classe des signaux devient axiomatiquement différent de ce qui peut être dit de la classe correspondante du sens, moment qui correspond d'ailleurs à celui où la classe des signaux va être *reconçue* pour signaler une autre signification :

« » ne signifie plus [tête de] taureau, mais signifie /'/ [esprit doux].

Le signe à double face apparaît dès que le *design* conventionnalisé se combine à un paradigme systémique pour constituer un *système de signifiants*.

LA NOTICE

Nous avons ignoré jusqu'ici la notice ajoutée comme un nouvel interprétant par un journaliste anonyme dans la cartouche de la photo de pin up. Avec sa cascade de double sens, cette notice est pourtant « excellente » : elle forme simulacre au second degré de l'axiome de multiples lisibilités qui caractérisait le champ de signification de la photo : « Quel est donc le nom de [cette fille] – le nom de l'ouragan [qui porte un prénom féminin pour les météorologues], [la fille/l'ouragan féminin] – Qui est passé sur [cette fille] ? – L'ouragan qui est passé – l'ouragan (...) sur cette plage – (la fille/la plage).

Cette lecture hyperisotope est homologue au mode de décryptage appelé par la photo elle-même.

SIMULACRES DANS LE SIMULACRE

Dans le simulacre, certaines données perceptibles sont déjà des simulacres (le maquillage) ; ou des objets d'usage sémantisés (le bikini). La semiosis opère sur du sens déjà-là. Le maquillage est une sorte de sémiosis primaire qui connote le corps comme lieu du sens. Il se psychanalyserait en termes de désir/manque (castration). Il pourrait se traiter aussi comme « figural », au sens que Lyotard donne à cette épithète : comme un intensificateur pulsionnel antérieur à l'ordre signifiant. Si dans le monde représenté par le simulacre il y a déjà de toute nécessité des simulacres ; si le monde n'est connu que par les simulacres produits par la manière dont l'idéologie les connaît, voici une nouvelle preuve qu'on ne peut distinguer un domaine des simulacres qui *vaudrait pour* un modèle du monde. De McLuhan à Baudrillard, dans un monde (le nôtre) où les simulacres envahissent la perception – un monde « infantile » peut-être – dans un tel monde, les idéologues, technocratiques ou solipsistes, tendent à accorder aux simulacres une sorte d'autonomie envahissante : Dieu est mort et le Réel a disparu.

UNE SOCIÉTÉ DE SIMULACRES

De McLuhan à Baudrillard, de l'optimisme technologique au crépuscularisme anaxiologique, la société postmoderne est conçue partout comme société des simulacres, *la Società dei simulacri* (M. Perniola, *1980*). De Philip K. Dick (*Ubik*, 1969, *The Penultimate Truth, Clans of the Alphane Moon*) à Michel Jeury (*Simulateur, simulateur !*) des écrivains « populaires » ont produit le *mythos* de la dérive schizoïde en termes sans doute plus pénétrants que ceux empruntés aux vieux *logos* philosophiques. C'est parce qu'il faut penser historiquement le monde des simulacres qu'il est grand temps de sortir des schémas de communication, de codes langagiers, de cesser de concevoir une sémiotique de l'image fixe ou du cinéma comme un avatar de la linguistique générale. Nous n'avons cependant pas engagé le débat au-delà d'une critique élémentaire de certains préjugés sémio-linguistiques et d'une contre-proposition générale. Tout le reste sera pour une autre fois.

DÉSENCHANTEMENT

Il y a dans toute la discussion qui précède quelque chose d'assez déprimant, sur le plan des finalités du savoir et de son exigence de rigueur et de dénombrement. Peut-être le lecteur reconnaîtra-t-il maintenant que tout ce qui est reçu de la linguistique (double face des unités, monèmes et commutations, syntagmatisme et combinatoire, codage et décodage, code et performance) – tout cela qui est déjà fait d'artefacts en linguistique devient une extravagance appliquée aux « simulacres ». L'ennui c'est qu'au moins cela garantissait au chercheur des répertoires finis, des règles immanentes, de la scientificité. Mes propositions toutes contraires traitent des images comme de supports de signification dont seule la totalité mouvante des représentations sociales rend raison. Ma démarche n'est pourtant pas autre que celle du linguiste : pour lui aussi la signification et la langue ne sont pas dans l'énoncé, dans chaque prise de parole : elle les présuppose. Sans doute, loin d'aboutir à la clôture d'une « grammaire » de l'idéologie, nous allons aboutir à une mouvance, une bigarrure mal saisissable, celle des pratiques signifiantes à la fois labiles et antagonistes du discours symbolique. Tout ce qu'on peut dire ici c'est que *c'est comme ça*. Ce n'est pas non plus, du reste, que du fouillis idéologique apparent ne se puisse extrapoler des règles contingentes. Seulement elles n'auront pas le logicisme rassurant du modèle phonologique. En son lieu, le modèle phonologique est un coup de génie. Comme modèle d'une sémiotique, il ne pouvait être qu'un coup de force.

VI

Critique de la « critique de l'iconisme »

LES THÈSES D'UMBERTO ECO

Dans sa « Critique de l'iconisme » (Eco, *Trattato, 1975* reprenant, avec des modifications, Eco *1968* et *1973*), Umberto Eco se met en devoir de rejeter d'abord « six notions naïves »[1] relatives à la classe des icônes, notions qui, si elles étaient reçues, mettraient en cause son propre axiome selon lequel il n'est de signe (de fonction signique) que s'il y a corrélation conventionnelle entre deux fonctifs. Pour Eco, *conventionnel* n'est pas synonyme d'arbitraire, mais est « coextensif à l'idée de lien culturel ». La semiosis d'une image est bel et bien conçue par lui comme le fait qu'elle « signifie *un objet* sur la base d'une corrélation culturelle » (p. 257). Cette thèse, étrangère à notre approche, est néanmoins produite par Eco à l'issue d'une critique systématique des théories « iconiques » de Peirce à Morris et au-delà. Il faut noter d'autre part qu'Umberto Eco a protesté depuis de nombreuses années contre l'usage de la catégorie de l'icône, usage

---

1. Nous traduisons le texte cité sur la version italienne. L'article de *Communications*, qui résume en français cette « Reformulation du concept de signe iconique », ne nous a été accessible qu'après la rédaction de la présente étude.

« passe-partout » et infidèle d'emblée à Peirce. La théorie d'Eco
implique la réfutation des propositions suivantes : « Les prétendus signes iconiques : 1) auraient les mêmes propriétés que l'objet ; 2) seraient semblables à l'objet ; 3) seraient analogues à l'objet ; 4) seraient motivés par l'objet ». Mais, pour ne pas tomber
« dans le dogmatisme opposé », Eco rejette aussi les thèses selon
lesquelles : « 5) les prétendus signes iconiques sont codifiés arbitrairement », et « 6) ils sont analysables en unités pertinentes, co-
difiées, et sujettes à articulation multiple, comme c'est le cas pour
les signes verbaux ».

        Il croit rejeter ainsi d'une part les différents
avatars de l'analogisme naïf et d'autre part le fétichisme linguistique. Il pose cependant que l'image comme telle est bien un « fonc-
tif » corrélé par une convention ou un lien culturel à un autre élément ou type, le tout constituant une fonction signique. Ainsi, à
nos yeux, simulacre et semiosis restent confondus par Eco et
l'image demeure pour lui le *lieu spécifique* d'une fonction signifiante. Il en résulte que nous sommes d'accord avec sa sextuple réfutation sans être d'accord avec sa propre théorie. Il nous semble
possible de repérer dans certaines affirmations qui servent à la réfutation (de trente pages) des « six notions naïves », des contradictions, des apories liées selon nous au caractère invalide d'une septième position : celle d'Eco lui-même. La reformulation
qu'Umberto Eco propose du concept de signe iconique s'appuie à
nos yeux sur une double confusion : confusion du rapport *signi-
fiant-signifié* (dont nous avons réexposé la définition axiomatique
au chapitre II) avec le rapport *signal-signe*, c'est-à-dire en ses termes « occurrence concrète » – « type » ; confusion de ce rapport
avec celui de *simulacre-référent*. Autrement dit, Umberto Eco
qui propose comme « base théorique à la discussion » le modèle à
quatre niveaux de L. Hjelmslev, maintient qu'il y a bien pour
l'analyse des images à connaître le signe comme rapport conventionnel entre une forme de l'expression et une forme du contenu,
le rapport forme-substance étant identifié au rapport type-
occurrence.

L'IMAGE DANS LE MIROIR

Plutôt que de relever une à une toutes les propositions que, dans le *Trattato*, notre point de vue nous fait percevoir comme équivoques ou intenables, je m'en tiendrai à discuter la façon dont Umberto Eco se débarrasse de ce simulacre évanescent qu'il ne saurait considérer comme un signe : l'image spéculaire.

Dans la mesure où Eco tient à définir le signal comme « réalité matérielle », il va devoir chercher à démontrer qu'il y a bien de la différence – sémiotiquement parlant – entre la réflexion d'une personne dans un miroir (celle de notre pin up, disons) et la photo de la même personne. D'abord, dit-il, l'image dans le miroir « n'a pas de réalité matérielle » (p. 267)... Elle est bonne ! Sans doute la photo est-elle composée d'atomes et l'image dans le miroir de photons, mais il faut faire preuve d'un matérialisme un peu court pour prétendre que cela fait toute la différence. Deuxième remarque, l'image spéculaire n'existe « pas *à la place* de quelque chose, mais en face (et à cause) de quelque chose ». Mais évidemment il en alla de même pour la photo, *à un moment donné* ; il me paraît insoutenable de dire que ce facteur de durabilité change quelque chose dans l'ordre de la signification ; il change certes du tout au tout dans l'ordre des *simulations*, un simulacre élusif et un simulacre durable ont des qualités différentes, mais ils n'ont pas une signification différente. Un signe ne se décrit pas par référence aux conditions de sa signalisation. « L'image de la photographie reste *tracée* », écrit Eco (p. 267). Ici encore il confond le message et les conditions matérielles de sa perception. On voit combien l'élimination des images spéculaires est nécessaire à la théorie d'Eco que nous discutons : « Il est nécessaire de préciser qu'une réflexion spéculaire ne peut être considérée comme un signe », car admettre cela, reviendrait à ruiner la théorie d'Eco. Aussi, le sémioticien appelle-t-il à la rescousse l'opticien (J. Gibson, *The Senses Considered as Perceptual Systems*, 1966) et n'a pas de peine à montrer que pour le physicien de l'optique, « le visage qui apparaît dans le miroir » est un objet « quant à l'effet » mais n'en est pas un « en fait ». Entièrement d'accord ! Tel est le point de vue du physicien, mais tel ne saurait

être le point de vue du sémioticien qui doit se demander seulement, – abstraction faite du statut physique de ce qui est perçu, –
comment opère un *quidam* ordinaire lorsqu'il identifie quelque
chose ou quelqu'un dans un miroir et si la façon dont il opère est
différente de la façon dont il réalise la même opération devant une
photographie. Demander le point de vue du physicien pour tran-
cher cette question est aussi pertinent que le serait, pour le sémioticien des signaux routiers, de demander au métallurgiste s'il y a
bien de la différence entre un poteau en aluminium et un poteau
en acier. À partir de ce passage, il me semble qu'Eco se perd dans
une discussion byzantine sur les doubles, les ersatz, les répliques,
c'est-à-dire par exemple tous les degrés où le xerox d'une photo,
simulacre de simulacre, effaçant certains traits perceptibles du
modèle efface *indirectement* certains interprétants de la sémiosis.

LE SIGNE ICONIQUE COMME
CONVENTION « CULTURELLE »

Plus loin, Eco énonce ce qui suit : « quand
l'effet précis ordinairement stimulé par une forme donnée est soumis à des contraintes culturelles, de sorte que la forme stimu-
lante, pour son producteur éventuel, fonctionne comme le signe
conventionnel de son propre effet possible (...), quand un effet
donné est clairement dû à une association culturalisée », alors la
sémiotique peut avoir prise sur de tels phénomènes (270). Tout
ceci renforce à nos yeux la confusion simulacre/signification et
tend à *isoler* les conventions culturelles de la représentation plastique alors que pour nous de telles conventions se bornent à connoter (redoubler) la façon dont le monde est connu sans posséder
de signification immanente. Eco reprend le cas cité par Gombrich
des dessinateurs des XVIe et XVIIe siècles continuant à représenter
des rhinocéros « sur nature » en s'inspirant inconsciemment de
l'animal cuirassé de sortes d'écailles imbriquées qu'avait représenté Dürer, cela pour démontrer le caractère conventionnel des
signes iconiques. Sans doute ce fait marque bien l'interférence
d'un modèle accepté qui semble perturber l'observation réaliste.
Mais justement dans le monde que l'artiste *représente*, il y a déjà

des simulacres à côté des objets modèles. Dans le cas du rhinocéros, il y a , à l'âge classique en Europe, plus de dessins de rhinocéros qu'il n'y a de rhinocéros en chair et en os. Autrement dit, la
classe des rhinocéros s'identifie pour l'artiste autant à partir des
simulacres que des objets premiers. L'artiste se trouve dans la
même situation que le petit enfant pour qui un ours, c'est un ours
en peluche tant qu'il n'a pas été au zoo – et même une fois qu'il y a
été. Ce serait imposer un regard métacritique que d'interdire à
l'enfant de considérer plus typique de la classe des Ours son
« Tintin » que *Ursus ursus* (Linné). Il en va de même ici : en tant
que simulacre, le dessin du rhinocéros tient compte de la manière
dont on connaît les rhinocéros, y compris et d'abord sous la
forme de simulacres déjà-là.

Nous ne refusons évidemment pas le con-
cept de « convention culturelle », mais notre référence à la signification comme *idéologie* n'implique pas cette idée de consensus
large présupposée par Eco, elle pose celle de contradictions entre
les praxis connaissantes. Ce que nous rejetons c'est, en outre, que
cette idée de « convention » reste surimposée à celle d'«imita-
tion » ou de simulation. Les conventions plastiques ne nous semblent pas pouvoir être traités isolément de ce qu'elles signalent.
Les « conventions » signifiantes primaires ne s'inscrivent pas
comme ressemblances avec un « objet », mais comme projection
de prédications idéologiques permettant de connaître le monde
sous un point du vue donné.

Si à la fin de son chapitre, Eco abandonne
le terme de « signes iconiques » c'est bien différemment de la façon dont nous y arrivons, puisqu'il conserve l'idée d'une spécificité sémiotique de l'image, conventionnellement structurée, signifiante sans être codée ni décomposable en unités
« grammaticales ». Il reste à penser, conclut-il, qu'un « texte iconique, plutôt que quelque chose qui dépend d'un code, est quelque chose qui *institue* un code ». Toujours le fétichisme du code.
Comment l'image, instituant au sens fort un « code » qui ne lui
préexisterait pas, pourrait-elle jamais être décodée ?

Tout le problème de l'*invention* (Eco, dans
Metz, *1978*) c'est-à-dire de la production signifiante structurant

un « continuum matériel » non encore différencié, y suggérant
une « nouvelle » manière de le structurer, feignant d'inventer ou
instituer le code en resignalant des différences, ce problème auquel aboutit la réflexion d'Eco sur l'iconisme, n'a de sens que si
l'on dit d'abord : – qu'il y a toujours de la différence déjà-là, que le
monde est toujours-déjà connu et différencié (qu'à cet égard les
mots de « continuum matériel » peuvent être trompeurs) ; – que
cette invention, cette institution de corrélations, qui s'opère constamment en fait, se produit alors comme une altération, une subversion, d'un ensemble isotope de différences déjà-là, c'est-à-dire
sur une manière de connaître les différentes manières dont le
monde est et a été connu.

Bibliographie des travaux évoqués ou cités

BACHAND, Denis et Claude COSSETTE, *Parole d'images. Ecosémiologie de l'image fonctionnelle statique (éd. préliminaire)*, Québec, Laval, 1976.

BAKHTINE, M., *voir* V.N. Volochinov.

BARTHES, Roland, « Éléments de sémiologie », *le Degré zéro de l'écriture*, Paris, Gonthier, 1970, (d'abord dans *Communications*, 4 (1964 (a).

BARTHES, Roland, « Rhétorique de l'image », *Communications*, 4 : 1964(b), pp. 40-51.

BERGALA, Alain, *Initiation à la sémiologie du récit en images*, s.1, Cahiers de l'audio-visuel, (1978 ?).

BÉVILLE, Gilbert, *Images à méditer*, Paris, Maloine, 1977.

BOURDIEU, Pierre, *le Sens pratique*, Paris, Minuit, 1980.

BOURDIEU, Pierre et al., *Un art moyen. Essai sur les usages sociaux de la photographie*, Paris, Minuit, 1965.

BURGER, Michel et Luis J. PRIETO, « À propos de L.J. Prieto, *Pertinence et pratique* », *Cahiers Ferdinand de Saussure*, 30 (1976), pp. 153-175.

CALABRESE, Omar, *Arti figurativi e linguaggio*, Rimini, Guaraldi, 1977, (Bibliographie générale annotée.)

CALVET, Louis-Jean, *Pour et contre Saussure*, Paris, Payot, 1975.

CARONTINI, E. et D. PERAYA, *le Projet sémiotique*, Paris, Delarge/ E.U., 1975.

« Collages », *Revue d'esthétique*, 3/4 (1978).

COQUET, J.-C. *et al.*, *Sémiotique. L'École de Paris*, Paris, Hachette, 1982.

DAMISCH, H., *Semiotics and Iconography*, Lisse, De Ridder, 1975.

Degrès. Revue de synthèse à orientation sémiotique, Bruxelles, 1973.

DUCROT, Oswald et Tzvetan Todorov, « Signe », « Sémiotique », *Dictionnaire encyclopédique des sciences du langage*, Paris, Seuil, 1972. pp. 438-453.

ECO, Umberto, *Il Segno*, Milano, ISEDI, 1973.

ECO, Umberto, *La Struttura assente*, Milano, Bompiani, 1968.

ECO, Umberto, *Trattato di semiotica generale*, Milano, Bompiani, 1975.

FRISHBERG, N., « Arbitrariness and Iconicity », *Language*, 51 (1975), pp. 696-719.

GOFFMAN, Erving, *Gender Advertisements*, New York, Harper & Row, 1979, (édition originale, 1976).

GREIMAS, A.J. et J. COURTÈS, « Iconicité », « Image », etc., in *Sémiotique, dictionnaire raisonné de la théorie du langage*, Paris, Hachette, 1979, *passim*.

GROUPE « MU », « Iconique et plastique », *Revue d'esthétique*, 1-2 (1979).

GROUPE « MU », *voir* « Collages » et « Rhétoriques, sémiotiques ».

HELBO, André, *Sémiologie de la représentation*, Bruxelles, Complexe, 1975.

HELBO, André, *préf.*, « La notion de référent », *Degrés*, 3 (1973).

HJELMSLEV, Louis, *le Langage*, augmenté de *Degrés linguistiques*, Paris, Minuit, 1966.

KRISTEVA, Julia, *Sêmeiôtikê, Recherches pour une sémanalyse*, Paris, Seuil, 1970.

LINDEKENS, René, « Analyse sémiotique d'une fresque de Piero della Francesca », *Journal canadien de recherche sémiotique*, IV, 3 (1977), 3 svt.

LINDEKENS, René, *Essai de sémiotique visuelle*, Paris, Klincksieck, 1976.

LINDEKENS, René, édit., *De l'image comme texte au texte comme image* (=*Journal canadien de recherche sémiotique* VI, 3/VII 1) Edmonton, A.C.R.S., 1979.

MARIN, Louis, *Études sémiologiques*, Paris, Klincksieck, 1970.

MARTINET, André, *Éléments de linguistique générale*, Paris, Armand Colin, 1970.

MARTINET, André, « Sens », « signe », in A.M., édit., *la Linguistique, guide alphabétique*, Paris, Denoël, Gonthier, 1969, pp. 336-353.

METZ, Christian, édit., « Image(s) et Culture(s) », *Communications*, 29, 1978.

METZ, Christian, *Essais sémiotiques*, Paris, Klincksieck, 1977, (Recueil d'articles, 1966-1976).

METZ, Christian, *Langage et cinéma*, Paris, Larousse, 1971.

METZ, Christian *et al.*, « L'analyse des images », *Communications*, 15 (1970).

MICLAU, Paul, *le Signe linguistique*, Paris, Klincksieck/Bucarest, Éditions de l'Académie, 1970.

MITRY, Jean, *Esthétique et psychologie du cinéma*, Paris, E.U., 1963.

MOUNIN, Georges, *Introduction à la sémiologie*, Paris, Minuit, 1970.

NATTIEZ, Jean-Jacques, « Le problème de la classification des signes », *Journal canadien de recherche sémiotique*, VI, 1-2 (1978-1979), pp. 113 s.

PAVIS, Patrice, *Problèmes de sémiologie théâtrale*, Montréal, P.U.Q., « Genres et discours », 1976.

PÊCHEUX, Michel, *les Vérités de la Palice*, Paris, Maspero, 1975.

PEIRCE, Charles S., *Écrits sur le signe*, rassemblés (...) par G. Deledalle. Paris, Seuil, 1978.

PESOT, Jurgen, *Silence, on parle. Introduction à la sémiotique*, Montréal, Guérin, 1979.

PETERS, Jan Marie, *Principes van de beeldcommunicatie*, Groningen, Tjeenk Willink, 1974.

PORCHER, Louis, *Introduction à une sémiotique des images*, Paris, Didier, 1976.

PRIETO, Luis, « Entwurf einer allgemeinen Semiologie », *Zeitschrift für Semiotik*, 1 (1979), pp. 259-265.

PRIETO, Luis, *Études de linguistique et de sémiologie générales*, Genève, Droz, 1975 (a).

PRIETO, Luis, *Messages et signaux*, Paris, P.U.F., 1966.

PRIETO, Luis, *Pertinence et pratique. Essai de sémiologie*, Paris, Minuit, 1975 (b).

PRIETO, Luis, « Il Piacere nei processi della pertinenza e dell'attualità », *Psicoanalisi e classi sociali*, Roma, Editori Riuniti, 1978.

PRIETO, Luis, « Signe et instrument », *Littérature/Histoire/Linguistique*, Lausanne, L'Âge d'Homme, 1973, pp. 153-161.

PRIETO, Luis, *voir aussi* Burger, M.

RADAN, Edmond, « Sémiurgie de l'image produite industriellement », *Degrés*, 4 (1973), Section « d ».

RAFFA, Piero, *Semiologia delle arti visive*, Bologna, Patron, 1976.

« Rhétoriques, sémiotiques », *Revue d'esthétique*, 1-2 (1979).

SAUSSURE, Ferdinand de, *Cours de linguistique générale* publié par C. Bally, A. Sechehaye (et) A. Riedlinger, Paris, Payot, 1967, (republ. de 1915).

« Le Signe iconique », *Degrés*, 15, 1978.

Strutture semiotiche e strutture ideologiche, (= *Quaderni* del Circolo semiologico siciliano, 8-10 (1978).

THIBAULT-LAULAN, Anne-Marie, *le Langage de l'image*, Paris, Éditions universitaires, 1971.

THOM, René, « De l'Icône au symbole », *Cahiers internationaux de symbolisme*, 22/23, 1973, pp. 85-106.

TODOROV, Tzvetan, « Le langage et ses doubles », *Théories du symbole*, Paris, Seuil, 1977.

TOGEBY, Knud, *Structure immanente de la langue française*, Paris, Librairie Larousse, 1965.

TOUSSAINT, Bernard, *Qu'est-ce que la sémiologie?* Toulouse, Privat, 1978.

VERÓN, Eliseo, « Pertinence (idéologique) du code », *Degrés* 7-8 (1974) Section « b ».

VERÓN, Eliseo, 1970, *voir* Metz C. *et al.*

VOLOCHINOV, V.N. (et Mikhail Bakhtine), *le Marxisme et la philosophie du langage*, Paris, Minuit, 1977 (édition originale : Leningrad, 1929).

Table des matières

Achevé d'imprimé le 27 juin 1985